afgeschreven

Karine Giébel

BLOEDHONDEN

the house of books

Oorspronkelijke titel
Chiens de sang
Uitgave
Éditions Fleuve Noir, Parijs
Copyright © 2008 by Éditions Fleuve Noir, département d'Univers Poche, Parijs
Copyright voor het Nederlandse taalgebied © 2010 by The House of Books,
Vianen/Antwerpen

Vertaling
Yvonne Kloosterman
Omslagontwerp
Mariska Cock
Omslagillustratie
Hollandse Hoogte
Foto auteur
© Philippe Matsas
Opmaak binnenwerk
ZetSpiegel, Best

ISBN 978 90 443 2724 3
D/2010/8899/52
NUR 332

Soms wordt de wreedheid van de mens vergeleken met die van de wilde dieren, dat is een belediging voor de laatsten.

Dostojevski

De nacht kronkelde zich in een trage striptease. Zij trok een voor een haar kleren van duisternis uit, tot de ultieme stralende naaktheid van de dageraad tevoorschijn kwam.

Uit *Androzone* van Jacky Pop,
aan wie dit boek is opgedragen

Proloog

Hij rent.

Hij raakt buiten adem.

Hij rent al uren, al vanaf het moment dat de zon opkwam op deze vervloekte dag.

Hij vliegt. Obstakels vermijdt hij met een verbazingwekkende handigheid, met een ongelooflijke volharding.

Hij rent terwijl de eerste tekenen van de avondschemering hun – voor leken – verontrustende schaduwen in het bos beitelen.

Schaduwen die hém niet verontrusten. Hij. Zo krachtig, zo sterk.

Hij rent. Met een jankende horde op zijn hielen. Wrede muziek die hem pijnigt, hem opjaagt.

Het einde is nabij.

Ze hebben hem dus geen enkele kans gegeven.

Hij begrijpt het niet.

Waarom...?

Je zou zeggen dat ze zich amuseren. Simpelweg vermaak?

Aan het eind van zijn krachten geeft hij zich eindelijk over. Zijn hart staat op het punt het te begeven, zijn spieren weigeren een extra inspanning.

Hij stopt, en wordt vrijwel tegelijkertijd ingehaald en omsingeld.

Hij recht zijn rug, trots, tegenover de vijanden. Ze zijn met te veel, ze zijn te vastbesloten.

Dronken van wreedheid.

Hij is uitgeput, maar hij gaat niet liggen. Hij kijkt zijn noodlot in de ogen. Hij vecht tot het eind.

Hij verdedigt wat er rest van zijn leven.

Het laatste uur heeft geslagen. Dat van het hallali.

Waarom...?

Hij zakt in elkaar en valt.

Verwondingen, schrammen, kreten, bloed.

Bloedbad.

Het laatste uur heeft geslagen. Dat van de *kill*.

Een man komt dichterbij. Zijn groteske kostuum getuigt van een voorbije eeuw.

Een glimlach, zo wreed als slechts bij mensen kan voorkomen.

Een glimlach die net zo buitenissig is als zijn uitdossing. Net zo absurd als deze macabere scène.

Een lange dolk in de hand, een lemmet dat blikkert in de wegstervende zonnestralen.

Zijn laatste zonlicht.

Hij onderscheidt slechts één silhouet te midden van de schaduwen, maar hij hoort nog kreten. Vooral kreten van pijn. Waarom wacht hij zo lang om hem af te maken? Wat is dit voor spel?

Barbaar.

Hij zal het nog lange seconden moeten aanhoren... Moordlustige uitroepen van vreugde weerklinken in deze arena, die vroeger zijn koninkrijk was. Laatste hartslagen. Zijn oogleden vallen dicht, maar niet helemaal. Zijn ogen blijven gericht op de ultieme smaad.

Slachtpartij.

Uitgedoofde pupillen, die nog maar twee dingen reflecteren.

Onbegrip.

Dood.

1

Vrijdag 3 oktober 2004 – 16.00 uur

Diane ademt in.

Diep.

Ze heeft het gevoel dat de zuivere, koude, droge lucht haar longen in brand zal steken, zoals een lucifer die een in de zon gedroogde strohalm doet vlamvatten.

Ze neemt even de tijd om het landschap te bewonderen. Onwerkelijke, grootse stilte. Onafzienbare ruimte die oneindig lijkt. Schitterende kleuren die het bos van de Cevennen rood kleuren.

Ze sluit glimlachend haar ogen. Ze zal zich hier lekker voelen de komende paar dagen. Ze is hierheen gekomen om te werken, maar het zal net vakantie lijken. Het voordeel van een boeiende job! Een kans die veel mensen niet hebben.

Maar Diane heeft de laatste tijd niet alleen maar geluk gehad.

Ze haalt haar bagage uit de kofferbak van haar auto. Dan loopt ze naar het vakantiehuisje...

* * *

Remy haalt geen adem meeeeeeeeeer.

Het stinkt zo erg dat hij liever zijn adem inhoudt.

Hij ritst de gulp van zijn spijkerbroek dicht en verlaat gauw het onveilige steegje.

Hij heeft zelfs geen vijftig cent voor de plee op het station. Jammer. Want daar is een wasbak, zeep, toiletpapier. Daar ruikt het naar bleekwater... Maar vandaag is hij platzak, hij heeft geen rooie cent meer.

Hij loopt snel naar het dichtstbijzijnde kruispunt, met zijn oude rugzak over zijn schouder.

Bedelen of... zich onder de wielen van een auto werpen.

Twee opties, hij kan geen derde bedenken.

Wat heeft het voor zin om door te gaan?

Een steeds terugkerende vraag. Vooral als hij moet bedelen. Remy heeft daar een bloedhekel aan. Maar hij heeft toch geen andere keus?

Hij blijft staan bij een stoplicht – zíjn stoplicht – en haalt het kartonnen bordje tevoorschijn waarop hij heeft geschreven: EEN KARWEITJE OF EEN PAAR EURO'S OM NIET TE VERHONGEREN, ALSTUBLIEFT, DANK U.

'Om niet te hoeven doodgaan,' zou hij eraan moeten toevoegen. Er waren zoveel dingen die hij op dat bordje zou willen schrijven. Een echte roman. Zijn levensverhaal. Zonder omhaal.

Maar wie zou de moeite nemen om het te lezen?

'Een glimlach, een blik of een groet, om niet aan onverschilligheid ten onder te gaan, alstublieft, dank u.'

Dat zou hij op dit armzalige stukje karton moeten schrijven.

Er nadert een bestelwagen. Remy aarzelt.

Bedelen of…?

* * *

Diane heeft zich in haar huisje geïnstalleerd. Ze heeft zorgvuldig haar spullen in de muurkast en de ladekast opgeborgen. Binnen een uur heeft alles een plek, alsof ze er al jaren woont. Ze heeft zelfs de boekenplank gevuld! Ook al is ze hier maar een week. Hoogstens. Maar ze houdt ervan om zich thuis te voelen wanneer ze voor haar werk op reis is. Dat stelt haar gewoon gerust. Ze neemt altijd een paar snuisterijen mee en boeken die ze al eens heeft gelezen. Ze wil naar vertrouwde dingen kunnen kijken.

Ze zou graag haar man en haar hond willen meenemen.

Maar ze heeft geen van beide.

Haar hond is dood, haar vent heeft haar gedumpt. Ze heeft veel tegenslagen gehad.

Ze maakt zorgvuldig de lens van haar Nikon schoon. Dan doet ze er een nieuwe digitale geheugenkaart in. De uitrusting is uiterst belangrijk.

Vanaf morgen zal ze buiten, op het terrein, zijn. Ze wil geen minuut verliezen.

Per slot van rekening wordt ze daarvoor betaald.

* * *

Ten slotte heeft hij zijn hand uitgestoken. Zoals je iemand je wang toekeert. Met een beschaamd gevoel, vernederd.

Maar hij is niet schuldig. Niet echt.

Wel een beetje…

Remy stopt voor 'het asiel'. Zo noemt hij het opvanghuis voor daklozen.

Niet het zeemanshuis, nee.

Niet het huis waar houtblokken langzaam verbranden, het huis waar de Kerstman zal binnenkomen. Daar gelooft hij al heel lang niet meer in!

Niet het huis waar je 's avonds graag naar terugkeert na een zware werkdag.

Nee. Het opvanghuis dat onderdak biedt aan mensen als hij, zodra de winter aanbreekt. Het is dit jaar eerder geopend, omdat het vroeg koud is geworden.

In de zomer maken de meeste mensen zich niet druk over het feit dat de daklozen op het trottoir slapen. Maar als de temperatuur daalt, zetten ze gauw hun noodplannen in werking.

Want een bevroren man of vrouw op het trottoir... dat is een schande. Dat bezorgt degenen die eerlijk hun brood verdienen een slecht geweten.

Je brood verdienen... Wat een merkwaardige uitdrukking, peinst Remy.

Genoeg geld verdienen om de meest geavanceerde plasmatelevisie te kopen en 's avonds onderuitgezakt op de bank weer een portie reclameboodschappen tot zich te nemen.

Geld om een luxeauto op afbetaling te kopen, en daar in de weekends mee te pronken.

Geld om ieder lid van de familie te voorzien van een mobiele telefoon die ook dient als fototoestel, walkman, camcorder, internetaansluiting en televisie. En af en toe als telefoon.

Kortom, om zich in de schulden te steken voor alles wat ze niet nodig hebben, maar waarvan hun wordt verzekerd dat ze er niet buiten kunnen om een normaal leven te leiden.

Normaal... Het leven van Remy is dat ooit ook geweest.

Vroeger, toen hij elke morgen naar zijn werk vertrok om geld te verdienen...

Hij aarzelt, hij staat nog steeds voor de deur van het opvangcentrum. Zal ik naar binnen gaan of niet?

De geur van gaarkeukensoep prikkelt zijn neusgaten.

Een bed te midden van tien andere bedden.

Een dakloze te midden van tientallen andere daklozen.

Zijn nachtmerries te midden van honderden andere nachtmerries.

Agressieve of apathische kerels, beschonken of niet. Ondermijnd door kou, ellende en ziekte. Gebroken. Vervormd. Afgedankt.

Hoe dan ook, het is dit of pitten bij Ali.

Hij wipt van de ene voet op de andere.

Ten slotte kiest hij voor een compromis: douchen in het opvangcentrum en de nacht bij Ali doorbrengen.

Na de douche gaat hij weer naar buiten. De hemel boven de hoofdstad is weer grauw en grijs geworden.

In zijn zak zit het geld dat hij 's middags heeft vergaard. De mensen zijn niet erg gul vandaag. Zes euro. Schamele buit!

Om meer geld te verdienen moet je meer bedelen, zouden sommigen hem aanraden.

*_**

Diane staat in de kleine badkamer. Ze kijkt voor een laatste keer naar haar spiegelbeeld en fatsoeneert haar weerbarstige pony. Kastanjebruin haar, lang en fijn. Een beetje dof.

Ze buigt zich naar de spiegel toe. Rimpeltjes om haar blauwe ogen. Nu al? Ze is net eenendertig!

Het geeft niet. Ze heeft zichzelf toch nooit mooi gevonden. Ook niet lelijk, trouwens. Meer gewoon, middelmatig, alledaags. Een paar rimpels zullen daar niets aan veranderen.

En wie zou ze moeten behagen? Nu hij is vertrokken, ziet ze er het nut niet van in om aantrekkelijk of koket te zijn. Het strikt noodzakelijke volstaat.

Nu hij haar in de steek heeft gelaten, denkt ze alleen nog maar aan haar werk, haar toevluchtsoord, de reden van haar bestaan.

Haar manier om de leegte, ja zelfs de wanhoop, het hoofd te bieden.

Ze doet het licht uit en verlaat het huisje.

* * *

Remy blijft staan. Hij ziet zichzelf in de ruit van een etalage.

Afschrikwekkend.

Verwarde bruine haren, holle wangen, kringen onder de ogen, gesprongen lippen, vale gelaatskleur.

Hij troost zichzelf zo goed mogelijk: imposante schouderbreedte, goed geproportioneerd lichaam.

Ik lijk wel zestig! Terwijl ik vorige maand zesendertig ben geworden...

Zesendertig jaar, waarvan ik er vier op straat heb geleefd.

Afschrikwekkend, ja.

De straat, erger dan de jaren...

* * *

Het restaurant is warm en gezellig. Toch voelt Diane zich niet erg op haar gemak. Een grote, authentieke herberg. Balken aan het plafond, ruwe muren, bossen droogbloemen. Vuur in de grote open haard.

Trofeeën.

Een hert, vlak tegenover haar, staart haar vanuit het hiernamaals aan.

Een hert, of beter: wat er nog van over is; de kop en de hoorns. Hertengewei is de juiste term.

Aan de andere kant hangt een ree die hetzelfde trieste lot heeft ondergaan. En boven de schoorsteen een vos met ontblote tanden. Volgens haar verpest dat een beetje de sfeer. Maar het is de gewoonte in dit soort tenten... Ze ergert zich er niet aan. Ze is niet tegen de jacht. Die is niet wreder dan de bio-industrie. Maar ze wil zich toch liever concentreren op de menukaart die de waard haar zojuist heeft gegeven. Veel appetijtelijker dan die opgezette dode dieren.

Ze heeft honger als een paard. Dat komt goed uit: specialiteiten van de streek, de Cevennen. Zware kost. Ze heeft kracht nodig voor de volgende dag. Ze had vanavond geen moed meer om te koken. Ze was te moe na de lange reis. Haar onkosten worden vergoed, dus waarom zou ze zich dan deze maaltijd ontzeggen?

Op dit ogenblik is ze alleen in het restaurant. Het is niet bepaald het toeristenseizoen in dit gat! Ze boft dat ze een restaurant heeft kunnen vinden dat open is.

Terwijl ze aarzelt en watertandend naar de aanlokkelijke menu's op de kaart kijkt, gaat de deur open. Een groepje mannen verbreekt de serene stilte. Ze zijn met z'n drieën, maar Diane heeft de indruk dat er een heel regiment is binnengekomen.

De mannen groeten de waard hartelijk en gaan aan de toog zitten. Vast en zeker vrienden. Stamgasten.

Ze praten hard, terwijl ze stiekem naar Diane kijken. Ongetwijfeld verbaasd over haar aanwezigheid in dit oord.

Wat komt ze hier doen?

* **

Remy komt op de plaats van bestemming aan.

Bij Ali.

Nee, het is geen luxehotel of knus familiepension. Alleen de hal van een flatgebouw, vlak voor de binnenplaats, met een piepkleine ruimte die dient om van alles en nog wat op te bergen. Een kamertje dat Remy 'mijn hok' noemt. Een afgesloten plek, een veilige plek. En de conciërge knijpt een oogje dicht op voorwaarde dat Remy bij het krieken van de dag zijn hielen licht.

De conciërge is Ali.

Ja, soms komt hij naar Remy toe en brengt een beker warme koffie of iets te eten mee. Omdat Ali ook op straat heeft geleefd en dakloos is geweest, en dat nooit is vergeten.

Hoe kun je nou een schipbreuk vergeten...?

Het is nog te vroeg om in zijn vuile slaapzak te kruipen. Remy tast in zijn zak naar de sandwich die hij in de mini-supermarkt op de hoek heeft gekocht. Zo'n driehoekig ding dat stinkt en duidelijk in een fabriek is gemaakt, dat op alles lijkt behalve op voedsel. Maar als je honger hebt en het koud hebt, is het eetbaar.

Hij gaat op het trottoir zitten, in een kleine nis, en leunt tegen de etalage van een delicatessenwinkel, waarvan hij graag de schappen zou leegroven. Hij doet een moeizame poging om zich de smaak van ganzenlever, gerookte zalm of sinaasappelmarmelade te herinneren. De geur van goede wijn en voortreffelijke whisky.

Hij kijkt neerslachtig naar zijn sandwich, die nog in plastic is verpakt, wit brood met een zachte korst. Ten slotte wendt hij zijn blik af.

Hij ziet een imposante zwarte auto voor de ingang van Ali's flatgebouw staan. Een Mercedes-fourwheeldrive. Remy heeft het idee dat hij de auto al eens heeft gezien, vandaag of de vorige dag. Maar in de hoofdstad wemelt het van de luxewagens, dus... De chauffeur leunt met zijn rug tegen zijn auto terwijl hij een gsm tegen zijn oor gedrukt houdt. Gelukkig praat hij niet luidkeels over zijn privéleven, zoals sommigen doen. Remy vraagt zich soms af of ze er behoefte aan hebben dat er naar hen wordt geluisterd, dat ze worden gehoord. Of dat ze zich juist compleet van de wereld om hen heen afschermen.

Exhibitionisten of autisten...?

Als die vent een van de appartementseigenaren is, zal hij zeggen dat ik moet oplazeren. Ik kan beter wachten tot hij weggaat.

Remy begint aan zijn sandwich met ham. Hij staart voor zich uit en stelt zich voor dat hij van heerlijke gerechten geniet.

Dan naderen twee mannen de eigenaar van de auto. Ze lopen er kalmpjes omheen. Intuïtief voelt Remy dat ze daar niet toevallig rondhangen. Maar de man van de Mercedes is blind voor het gevaar dat hem bedreigt.

Plotseling storten de twee kerels zich op hem. De gsm vliegt door de lucht en valt in stukken uiteen op het trottoir. De Mercedes-eigenaar verzet zich, het tafereel wordt gewelddadig. De aanvallers proberen duidelijk de Mercedes te jatten.

Remy blijft even verstijfd zitten, zijn sandwich in zijn hand, een beetje verdwaasd.

Hij is er maar een paar meter vandaan. Twee tegen één...

Ineens, zonder te weten wat hem bezielt, laat hij zijn kostbare avondeten los en rent naar de mannen. Nu is het twee tegen twee.

**

Diane heeft geen trek meer.

Ze heeft zichzelf echt op een overdadige maaltijd getrakteerd.

De mannen bij de toog hebben zich evenmin ingehouden. Ze eten borrelhapjes en ze drinken vrolijk een indrukwekkend aantal glazen leeg.

Ze worden steeds luidruchtiger. Ze praten hard, de gesprekken zijn laag-bij-de-gronds, en er wordt veel gelachen. Dat is normaal. Ze zit niet in een theesalon op de Champs-Élysées!

Jammer dat die mannen vanavond hierheen zijn gekomen. Diane houdt van rust, de herrie stoort haar. Ze zou de rekening willen vragen, maar durft de waard niet lastig te vallen. Hij staat met de mannen te praten en te drinken.

Ze steekt een sigaret op. Ze rookt zelden, maar na een heerlijke maaltijd steekt ze er graag eentje op.

Plotseling gaat het gesprek over een ernstiger onderwerp... Ze hebben het over een moord.

Dé moord.

Het drama.

Diane spitst haar oren, bijna automatisch. Blijkbaar is er een jong meisje in het bos gevonden. Ze is gewurgd...

De kleine Julie.

Een moord die niet door de politie is opgelost.

De mannen praten nog harder. Onder invloed van de alcohol raken de gemoederen verhit.

Als ze de schoft die dat heeft gedaan te pakken krijgen, knopen ze hem op!

Ja, we zouden de doodstraf weer moeten invoeren voor rotzakken als hij!

Het kan zijn dat het een vent uit deze streek is.

Dat meen je niet! Het is een vreemdeling...

Ten slotte gaat Diane staan, vastbesloten om haar rekening te gaan betalen. De stemmen worden zachter, ze voelt dat ze wordt aangestaard.

Uitgekleed.

'Sorry dat ik u stoor... Kan ik betalen, alstublieft?'

'Natuurlijk, mevrouw!'

Ze werd altijd aangesproken als 'juffrouw'. Maar sinds kort meestal met 'mevrouw'... De befaamde rimpels? Maar die zijn toch microscopisch klein? Of misschien haar melancholieke uitstraling... Neemt niet weg dat het haar opvalt. En dat het haar, ergens, een beetje pijn doet. De tijd die voorbijgaat. Die zo vaak voor niets voorbijgaat.

Verspilde tijd.

Want zonder hem is de tijd verspild, verloren. Als hij bij haar zou zijn, zou ze stralen. Dan zouden ze nog steeds 'juffrouw' tegen haar zeggen...

Terwijl de waard de rekening opmaakt, kijkt een van de mannen Diane aandachtig aan. Hij stelt zich voor, zichtbaar trots dat hij de apotheker van het nabijgelegen

dorp is. Hij heet Roland Margon. Diane is niet zo erg verrukt.

'Bent u hier met vakantie?' vraagt hij.

'Nee, ik ben hier om professionele redenen.'

'Wat doet u, als ik u vragen mag?'

'Ik ben fotograaf, ik kom een reportage maken over uw
prachtige streek.'

Ze hopen op details. In dit seizoen zijn hier zelden onbekenden. De andere twee mannen stellen zich ook voor.
Diane accepteert het aanbod van de waard om een diges-
tief met hen te drinken.

'Kijk goed uit als u in uw eentje de heuvels in trekt,' ad-
viseert een van de mannen. 'De laatste tijd is het hier niet
meer zo veilig.'

Diane werpt hem een krampachtig glimlachje toe. De man
heet Severin Granet. Hij wordt vergezeld door zijn zoon
van een jaar of twintig, die haar schaamteloos aanstaart.

'Maakt u zich geen zorgen, ik zal heel voorzichtig zijn,'
antwoordt ze zelfverzekerd.

* * *

'Een sigaret?'

Remy neemt hem aan. Hij heeft nauwelijks kans om er
eentje te roken sinds de prijzen zo snel zijn gestegen. Vóór
die tijd gaven de mensen hem wel eens een peuk. Nu houden ze die voor zichzelf.

En dan te bedenken dat het over een paar maanden verboden zal zijn om in restaurants te roken. Zelfs in kroegen
mag dan niet meer worden gerookt.

Dat heeft hij op de tv gehoord toen hij een avond in het
opvangcentrum doorbracht. Hij kon zijn oren niet gelo-

ven. Hij had er geen last van, aangezien hij niet de middelen had om in een restaurant te gaan eten. Maar dat neemt niet weg dat... Zou je binnenkort niet meer kunnen gaan plassen zonder toestemming aan de schooljuf te vragen? En zou er een politieagent in de wc zijn om te controleren of je goed je handen hebt gewassen?

Terwijl hij zijn peukje oprookt alsof het een eersteklas havannasigaar is, denkt Remy na over de redenen van deze vrijheidsberovende politiek. Is het gewoon een manier van bewindslieden om de mensen te laten geloven dat ze zich bekommeren om de gezondheid van het volk? Ook al is de sigaret van superieure kwaliteit, hij wordt de boom die het bos verbergt. Een prestatie! Op die manier worden alle andere onzichtbare en onzegbare oorzaken van kanker verbloemd.

Economisch incorrecte oorzaken.

Maar voorlopig kan Remy op zijn gemak zijn peuk oproken. De man van de Mercedes geeft hem zelfs een vuurtje met een gouden of doublé aansteker. Net zo opvallend als de auto. Hij loopt waarschijnlijk tegen de vijftig, een ontspannen man, tamelijk chic, met een natuurlijke elegantie. Spijkerbroek, trui van ongebleekte wol, wollen sjaal en leren handschoenen, die hij heeft uitgedaan voor het diner. Vrij groot, goedgebouwd, grijzende slapen en een scherpe blik. Heel scherp.

Twee zwarte scalpels die lijkschouwing op je verrichten terwijl je nog leeft.

Remy besluit hem 'de Lord' te noemen, dat past heel goed bij hem.

Hij geniet van zijn Dunhill. Zijn hand ligt op zijn maag, die in lange tijd niet zo vol is geweest. De Lord heeft hem getrakteerd op een smulpartij in een kroegje, uit dank omdat Remy hem te hulp is geschoten. Natuurlijk zou Remy de voorkeur hebben gegeven aan een briefje van vijfhonderd euro, maar hij is niet kieskeurig.

Terwijl hij zich volstopt met biefstuk, friet en sla, werkt de ander op zijn zenuwen met een spervuur van vragen. Een gedistingeerde en grootmoedige versie van de Inquisitie.

Hoe bent u hiertoe gekomen? Hebt u familie? Vrienden die u kunnen helpen?

Remy geeft ontwijkende antwoorden. Het gaat die man geen barst aan...

Een kaasplateau na de biefstuk, en het geheel overgoten met wijn. Uit een karaf, maar toch lekker.

Heerlijk. Dessert en koffie. Alles erop en eraan.

Het was het waard om zijn leven op het spel te zetten, zelfs nu hij als beloning calorieën heeft gekregen in plaats van euro's. Maar de avond is nog niet voorbij...

'Hoe kan ik u bedanken?' zegt mylord.

Bingo! Remy, berekenend als geen ander, antwoordt: 'Dat is niet nodig. Het is toch vanzelfsprekend om je naaste te helpen?'

'U hebt gelijk, maar ik sta erop... Luister, ik heb ineens een idee...'

'O ja?'

Lijkt je idee niet op een rechthoekig stuk papier, zo mogelijk zachtpaars met het cijfer 500 erop?!

'Zou u willen werken?'

'Werken?' vraagt Remy met verstikte stem.

'Ik wil net iemand in dienst nemen...'

'Bent u directeur?'

'Nee! Mijn tuinman is weggegaan, ik zoek iemand om hem te vervangen.'

Remy barst bijna in lachen uit. Heeft die vent me wel goed bekeken? Ik tuinman? Waarom geen Engels kindermeisje?!

'Eh... Ik...'

'Denk erover na! U krijgt kost en inwoning en elke maand salaris.'

Remy onderdrukt zijn glimlach.

'Is uw tuin zo groot?'

'Ik bezit een kasteel.'

'In Parijs?!'

'Nee! Tweehonderd kilometer hiervandaan. Ik zou het echt heel fijn vinden om u te kunnen helpen... Mensen zoals u zijn zeldzaam tegenwoordig. Waarom probeert u het niet? Ik betaal u twaalfhonderd euro per maand.' Remy spert zijn ogen wijd open.

'En als het u niet bevalt, kunt u zich altijd nog bedenken,' voegt de Lord eraan toe. 'Er is een proeftijd.'

Remy kijkt zijn tafelgenoot strak aan, zonder iets te zeggen. Maar er gaan allerlei gevoelens door hem heen.

Allereerst verwondering.

Heeft iemand belangstelling voor míj? Iemand die me écht wil helpen en me niet alleen maar een aalmoes wil geven?

Vervolgens ontroering.

Iemand die me zijn vertrouwen schenkt door me bij hem thuis uit te nodigen, in zijn eigen huis, sorry, zijn eigen kasteel. Die me werk wil aanbieden, écht werk... Me salaris geeft, écht salaris. En niet een briefje van tien omdat ik de kisten in zijn vrachtwagen heb uitgeladen...

En daarna twijfel, angst.

Werken. Je houden aan werktijden en instructies.

Ben ik daar nog wel toe in staat na mijn jarenlange zwerversbestaan?

De Lord tegenover hem glimlacht. Alsof hij Remy's gedachten kan lezen.

Het is heel lang geleden dat iemand zo tegen Remy heeft geglimlacht. Zonder spot, neerbuigendheid of vooroordelen.

'Nou, Remy, wat vind je ervan?'

* * *

Diane glijdt tussen de lakens, die een beetje koud zijn.

Ze is niet lang in de herberg gebleven. Ze heeft één glaasje Cevense likeur gedronken voor de spijsvertering.

Ze heeft slechts een paar woorden gewisseld met de mannen, die uiteindelijk best sympathiek bleken te zijn. Ze had weinig met hen gemeen, maar het is altijd handig om twee of drie mensen te kennen in de streek waarin ze zich bevindt. Ten slotte heeft ze zich verontschuldigd, met als excuus dat ze een lange, vermoeiende dag achter de rug had.

Ze bekijkt de gedetailleerde kaart van de streek. Ze heeft de route die ze morgen zal nemen al gekozen. Een woeste plek, waar ze waarschijnlijk prachtige landschappen zal doorkruisen. Ze maakt een paar aantekeningen en dan doet ze de lamp op het nachtkastje uit.

Algauw verschijnt voor haar wijd open ogen een gezicht dat de duisternis in de weg zit.

Haar handen omklemmen de dekens, en al snel vallen er hete tranen op haar kussen.

* * *

Remy heeft nog steeds moeite om te geloven dat hij het voorstel van de onbekende naast hem heeft geaccepteerd. Misschien is de wijn hem naar het hoofd gestegen...

Hij heeft zin om te slapen. Het landschap trekt langzaam voorbij aan zijn vermoeide ogen. Het is waar dat luxe-auto's supercomfortabel zijn.

Twaalfhonderd euro per maand. Met kost en inwoning. In een kasteel.

Hij heeft het warm, hij luistert naar een concert van Bach terwijl zijn eten verteert.

Zijn oogleden vallen langzaam dicht. Hij glimlacht.

Ik zie het morgen wel, het heeft geen zin me suf te piekeren. Ik leef al jaren in de hel. Wat zou me kunnen overkomen dat nóg erger is?

Genesteld in zijn leren stoel, denkt hij aan zijn dochter. Ze zal nu wel in de vijfde klas van de basisschool zitten.

Ze zal wel knap zijn.

Net zo knap als haar moeder was.

Algauw slaapt hij in op het ritme van de luchtkleppen en van Bach.

Honderden kilometers daarvandaan valt Diane ook in slaap.

2

Zaterdag 4 oktober, 6.30 uur

Mijn tuinman is weggegaan, ik zoek een vervanger voor hem... Ik zou het heel fijn vinden om je te kunnen helpen...

Hoe heb ik zo stom kunnen zijn om zoiets onzinnigs te geloven?

Uit woede schopt Remy tegen een onschuldige kartonnen doos, die vlak bij hem staat. De tuinman in kwestie dient vast en zeker als mest voor de rozenstruiken of als voer voor de karpers in de vijver! En nu ben ík aan de beurt! Ik ga eraan.

Beter gezegd: wíj gaan eraan.

Hij kijkt vol medelijden naar zijn lotgenoten, die kalmer of lijdzamer zijn dan hij.

Ze hebben vannacht alle tijd gehad om kennis met elkaar te maken.

Sarhaan, een grote neger die uit Mali komt en vlak bij Sarcelles in een kraakpand woonde, tussen twee bouwterreinen in. Eyaz en zijn jongere broer Hamzat, ook zonder papieren. Tsjetsjenen die in België zijn beland, op weg naar Parijs. De man die hen clandestien over de grens bracht, heeft hen als prooi aangeboden aan de Lord, in ruil voor een dik pak bankbiljetten. Ze spreken slechts een paar woorden Frans, die ze snel hebben geleerd, met het oog op hun vestiging in het land van de rechten van de mens...

Drie kerels, opgesloten in een schuur, naast het kasteel van de Lord. Remy heeft toch de tijd gehad om het fantastische onderkomen van zijn gedistingeerde gastheer te bewonderen! Toen ze aankwamen, tegen middernacht, heeft hij een paar extatische minuten beleefd bij het idee dat hij op die onwezenlijke plek ging wonen. Te mooi om waar te zijn, te mooi voor een vent als hij... Ja, een paar minuten van extase, tot de brute landing. Op het moment dat de Lord ergens een revolver vandaan haalde, hem tegen Remy's slaap drukte en hem opsloot in een schuur waarin de drie anderen al aan het wegrotten waren. Sarhaan zit al vijf dagen gevangen, Eyaz en Hamzat zijn hier nu achtenveertig uur. Ze hebben van alles geprobeerd om te ontsnappen. Tevergeefs.

De cipier heeft hun niets verteld over zijn plannen, en hij heeft hen niet gemarteld. Hij heeft hen gewoon daar opgesloten, onder bedreiging met de revolver. Toch heeft hij hun, in zijn grote goedertierenheid, te eten en te drinken gegeven.

'Maar wat wil die gek van ons?' herhaalt Remy voor de zoveelste keer. 'We zijn een gestoorde tegen het lijf gelopen, verdomme... Ik had niets moeten doen, en die mannen zijn auto moeten laten stelen en hem gewoon in elkaar moeten laten slaan. Ik had ze zelfs moeten helpen!'

Sarhaan kijkt hem vermoeid aan. Eyaz en zijn jongere broer zijn in slaap gevallen.

'Hoe kunnen die twee nou pitten?' schreeuwt Remy.

'De eerste nacht hebben ze net zo gedaan als jij,' zegt Sarhaan kalm. 'Ze hebben steeds maar heen en weer gelopen, ze hebben met hun hoofd tegen de muren geslagen. Nu zijn ze moe. En dus rusten ze uit.'

De grote wijze man heeft gesproken. Remy stemt ermee in om naast hem te gaan zitten en eindelijk zijn mond te houden.

Door het getraliede raampje kunnen ze de voorkant van het kasteel zien. Vijf prachtige auto's die op het witte grind staan te sluimeren. Remy herkent een Bentley en een Maserati. Alsof het niets is! Hij gaat in elk geval niet dood van ellende. Hoewel, dat kan hij nog niet weten...

* * *

Uitzonderlijk geluid en licht. Puur, echt.

Alleen de hoop op een edelmoedige zon die het Cevense bos verwarmt, dat nog koud en vochtig is.

Diane heeft een paar foto's gemaakt. Ze is bij het krieken van de dag opgestaan. Ze wilde dit wonderbaarlijke schouwspel niet missen. Nadat ze een spookachtig dorp was gepasseerd, heeft ze haar auto naast een pad neergezet. Daarna is ze begonnen aan haar langzame klim, helemaal in haar eentje.

Deze streek bevalt haar écht. Ze kende hem nog niet, maar ze voelt zich al erg aangetrokken tot dit woeste landschap. Het is bijna ongerept, ondanks de stempels die de mensen erop hebben gedrukt, waarvan sommige alweer aan het vervagen zijn onder de kracht van de natuur.

Ze loopt over een breed pad, vastbesloten vóór twaalf uur een uitzichttoren te bereiken die op haar kaart staat aangegeven en die een duizelingwekkend panorama belooft.

Plotseling, alsof hij wordt uitgespuwd door het dichte bos, duikt er in een bocht een gestalte op. Een man, helemaal alleen. Groot, hij loopt snel. Gezien het tijdstip en het seizoen verwachtte ze alleen maar herten of wilde zwijnen tegen te komen... Onwillekeurig denkt ze terug aan de woorden van de mannen in de herberg. Aan de mysterieuze moordenaar die in de streek rondwaart. Aan het vermoorde meisje. Aan de jonge, mooie Julie, die de prooi van een monster is geworden.

Dianes hart slaat op hol. Toch loopt ze door. Al is ze weerloos.

De man is jong. Lang haar, hoed met een veer van een vale gier, oude plunje. Zijn uiterlijk is beslist karakteristiek. Het past uitstekend bij het landschap...

Ze kruisen elkaar. Diane is getroffen door de schoonheid en de fijnheid van zijn gelaatstrekken.

Ze staren elkaar heel even aan. Dan groet ze hem verlegen. Hij antwoordt met een simpel knikje. Rudimentaire taal.

Als hij al ver bij haar vandaan is, haalt Diane rustiger adem.

Ze blijft staan en draait zich om. Hij ook.

7.30 uur

Dit moet een droom zijn. Ik heb een nachtmerrie, straks word ik wakker. Vast en zeker...

Remy kijkt naar Sarhaan, daarna naar de Tsjetsjenen. Ze zien er net zo verbluft uit als hij.

Zij begrijpen evenmin wat er gebeurt. Ze weten niet welk lot hun wacht.

Ze staan alle vier met de rug tegen de muur. Tegenover hen staat een krachtpatser met een jachtgeweer in zijn hand. Dezelfde man die de vorige avond de Mercedes van de Lord probeerde te stelen.

Alles wordt duidelijk. Ik ben erin getuind. Wat ben ik een stommerik.

De Lord, die er ook is, houdt zijn hand op de kolf van zijn trouwe revolver.

Hij glimlacht.

Zoals de haai glimlacht voordat hij zijn bek openspert.

Zoals de dood glimlacht voordat hij je vastgrijpt.

'Ik zal jullie de regels van het spel uitleggen,' zegt de Lord kalm.

Ze hebben er niet echt behoefte aan om die spelregels te horen, maar ze hebben geen keus.

'Luister goed, zwerver,' vervolgt de Lord. 'Jij spreekt Frans en jij moet het later aan de anderen uitleggen. Ik heb vrienden uitgenodigd om het weekend op mijn landgoed door te brengen. Ik heb ze een paar onvergetelijke dagen beloofd.'

Buiten, vóór het kasteel, staan de bewuste gasten met elkaar te praten. Drie mannen en een vrouw, die wonderlijk zijn uitgedost. Er worden gezadelde paarden gebracht. De honden blaffen, blij dat ze zijn vrijgelaten uit hun hok.

Remy heeft het al begrepen. Toch kan hij niet geloven dat het allemaal werkelijkheid is.

Een stoet jagers, zoals hij in zijn vroegere leven op de tv

en in de bioscoop heeft gezien. Alleen is de groep kleiner. Alleen...

'Mijn vrienden en ik gaan vandaag eens lekker op jacht,' zegt de Lord, terwijl hij Remy recht aankijkt. 'Wat voor wild gaan we volgens jou vangen?'

Remy slikt even, hij kan geen woord uitbrengen. Gedurende de nacht moeten zijn amandelen zijn opgezwollen.

'Ons!' brengt hij ten slotte met moeite uit.

'Precies! Bravo, ik zie dat je vlug van begrip bent! Gewoonlijk is dat niet zo.'

Gewoonlijk? Remy spant zijn kaken. Ze zijn in een psychopatenhol beland.

Het ergste is dat hij geheel vrijwillig in de Mercedes is gestapt. Als hij zichzelf een pak slaag kon geven, zou hij dat beslist doen.

'Mijn gasten komen van ver om aan dit spel deel te nemen! Uit de hele wereld...'

De Lord komt dichterbij en mompelt: 'En ze betalen er veel geld voor...'

'Waarom doet u het?!'

'Dat heb ik je zojuist gezegd. Luister je wel? Voor de poen, natuurlijk. Voorheen organiseerde ik jachtpartijen op roofdieren in Afrika, dat was prima... Maar ik heb iets lucratievers gevonden. Want de klanten willen steeds meer. Meer adrenaline, meer risico's, iets nieuws...'

Het lijkt wel of hij een toespraak houdt, college geeft. Misschien probeert hij het onverdedigbare te rechtvaardigen?

'Wild waarop ze nog nooit hebben gejaagd en dat ze eigenlijk niet mogen doden! Ze zijn bereid er een boel voor te betalen.'

Eyaz fronst zijn wenkbrauwen. Het is duidelijk dat hij

niet veel van de toespraak van de Lord heeft begrepen. Hamzat, de Kaukasische reus, springt van de ene voet op de andere. Wat Sarhaan, de neger, betreft, hij staat doodstil, als een standbeeld. Schijnbaar onverstoorbaar.

'U bent een echte rotzak!' gromt Remy.

'Alleen maar een zakenman! Sommige klanten vinden zelfs dat ik mijn land een dienst bewijs door het te ontdoen van gespuis of ongure buitenlanders. Van iedereen die het binnendringt om het leeg te laten bloeden.'

Hij kijkt Eyaz scherp aan.

'En zelfs Arabieren, terroristen...'

Remy spert zijn ogen wijd open. Hoezo Arabieren? Dan herinnert hij zich dat de Tsjetsjenen moslims zijn... dat begint al goed. *Jawohl, mein Führer!*

Eyaz reageert niet, maar hij trotseert de blik van zijn cipier zonder een spier te vertrekken. Het woord 'terrorist' heeft hij heel goed verstaan. Ongetwijfeld omdat het hetzelfde woord is als in het Engels. De Lord wendt zich opnieuw tot Remy.

'Ze vinden dat ik hen ook bevrijd van klaplopers als jij. Persoonlijk kan hun mening of motivatie me geen barst schelen, als ze maar betalen en discreet blijven... Ik doe het voor het geld en het plezier. Nergens anders voor... Kortom: ik verenig het nuttige met het aangename.'

Remy blijft stokstijf staan. Het is niet *'mein Führer'*. Hij doet het niet eens om ideologische redenen. Nee, het is alleen een spel dat hem veel geld oplevert.

Het nuttige met het aangename...

Simpele verstrooiing, waarvoor dik wordt betaald.

'Voor het geval dat je nog twijfelt, ik benadruk dat deze dag slecht zal aflopen... Voor jou, natuurlijk!'

Ja, het is een nachtmerrie. Een griezelfilm. Remy had nooit gedacht dat zoiets bestond, in zijn eigen land, nota bene.

Plotseling schaamt hij zich voor de drie vreemdelingen die naast hem staan.

'Je zult uiteindelijk de bak in draaien,' zegt hij ten einde raad.

Hij voelt zich ellendig.

'Denk je dat?' antwoordt zijn vijand met een spotlach. 'In tegenstelling tot jou ben ik geen idioot! Waarom denk je dat ik je gisteravond zoveel vragen heb gesteld, terwijl jij je volpropte? Dacht je écht dat ik meevoelde met je trieste lot? Geen familie, geen vrienden, niemand die zich druk maakt om je toekomst! En wat die drie daar betreft, ze zijn hier illegaal...'

De glimlach van de Lord verandert, wordt nog cynischer. 'Je zult het jezelf wel kwalijk nemen dat je me te hulp bent geschoten. Het was gewoon een test om te zien of je fut in je lijf hebt. Ik was niet teleurgesteld.'

'En als ik was blijven zitten?'

De Lord haalt zijn schouders op.

'Dan was ik op zoek gegaan naar een andere zwerver. Jij was niet de enige kandidaat!'

Remy heeft zin om hem te vermorzelen. Maar het zwarte oog van het geweer weerhoudt hem van wraakzuchtige neigingen.

'Oké, genoeg gepraat! Blijkbaar worden de paarden en de honden ongeduldig...'

De Lord doet een stap naar achteren.

'Ik zie dat onze vriend een horloge heeft,' voegt hij eraan toe, met een blik op de pols van Sarhaan. 'Dat komt goed uit! Ik geef jullie een halfuur voorsprong.'

Hij zegt dat op scherpe toon. Wreed.

Nog steeds met die glimlach.

De vier gevangenen protesteren niet. De krachtpatser beveelt hen naar buiten te gaan. Ze aarzelen.

'Willen jullie liever meteen dood?' vraagt de kasteelheer dreigend. Hij haalt de veiligheidspal van zijn geweer over.

Ten slotte gaan ze naar buiten. Ze lopen in de richting van de 'gasten', die hen van alle kanten bekijken. Ze zijn de attractie van de dag... Kermisdieren.

Er komen twee mannen dichterbij, met zes honden aan een lijn. De honden rennen naar Remy en zijn lotgenoten toe en beginnen aan hun kuiten te snuffelen.

'Verdwijn!' beveelt de Lord. 'Jullie mogen nú gaan!'

Niemand beweegt.

Gaan... waarheen? En waarin?

Wat is dit voor schijnvertoning? Het is absoluut een smakeloze grap die zal ophouden als de gasten voldoende lol hebben gehad.

Het kan niet anders!

'Zijn jullie doof? Een halfuur, geen minuut langer. Dan bestijgen we onze paarden. Of liever, dan gaan we op jacht! Dus als ik jullie was, zou ik opschieten...'

* * *

Diane komt weer op adem. Ze is zojuist een steile helling af gerend, zich vasthoudend aan struiken, lage takken en wortels.

Ze ziet hem niet meer, alsof hij door de opgaande zon is verdampt.

'Verdomme!' mompelt ze.

Hij is me ontglipt.

Een prachtige ree waarvan ze graag een foto had willen maken.

Ze geeft het op en besluit haar zwerftocht voort te zetten. Maar ze is van haar route afgeweken om haar ree te volgen. Ze moet de juiste weg terug zien te vinden.

Op dat moment ziet ze een soort ruïne, een beetje beneden haar, door een opening tussen de bomen.

Dat is een mooi plaatje!

Ze gaat naar het oude boerenhuis met het dak van grote, platte stenen, en wijkt zo nog meer van haar route af.

Als ze de achterkant van het grotendeels vervallen huis heeft bereikt, ziet ze dat ze niet zo alleen is als ze dacht. Er hangen een paar T-shirts aan een provisorische waslijn. Uit de schoorsteen komt een rookpluimpje. Ze loopt om het huis heen. Dan ziet ze een man aan de andere kant, een meter of dertig van haar verwijderd. Hij draagt een hoed met een veer van een gier en is bezig hout te sprokkelen aan de rand van het bos.

Hoe kun je nou hier wonen? vraagt Diane zich verbaasd af. Ze blijft zich verschuilen achter de schaapskooi. Ik kan er beter zo snel mogelijk vandoor gaan. Voordat die gek mijn aanwezigheid opmerkt.

Plotseling rijzen er mannenstemmen op in het bos. Diane buigt een beetje naar voren. Door het plantengordijn ziet ze mannen in jagerskleren, geweer over de schouder.

Het is hier druk. Te druk... Ze zocht rust en afzondering, nou, ze heeft niet bepaald haar zin gekregen! En het zijn ook nog eens jagers.

Ze gaat verder met het discreet observeren van de plaatselijke fauna. Dankzij de sterke zoomlens van haar fototoestel herkent ze de mannen die ze de dag ervoor in de herberg heeft ontmoet. Severin Granet en zijn zoon Gilles. Roland Margon, de apotheker van het dichtstbijzijnde dorp. En Hugues, de waard. Sinds ze hier is aangekomen, ziet ze alleen maar díé mannen. Vanmorgen nog, toen ze naar haar auto liep, zag ze hen aan de toog van de herberg, achter hun eerste glas wijn...

Zou ze één stap kunnen doen zonder hen tegen te komen?

8.00 *uur*

Remy heeft in geen jaren zo hard gelopen. De drie anderen rennen voor hem uit, ze zijn veel sneller dan hij.

Hij blijft staan en leunt tegen een boomstam. Als hij zo doorgaat, zal hij de longen uit zijn lijf hoesten.

'Hé, wacht op mij, verdomme.'

Tot zijn grote verbazing maken zijn metgezellen rechtsomkeert.

'Kom op!' gelast Sarhaan hem. 'Je moet niet achterblijven.'

'Ik kan niet meer! Ik geef het op...'

Eyaz profiteert van de pauze om te vragen wat er gebeurt. Remy heeft hem net duidelijk gemaakt dat hij moest rennen. Zo hard mogelijk.

Sarhaan neemt het op zich om aan zijn maatjes uit te leggen, in summier maar wel doeltreffend Engels, dat ze de dagschotel zijn van een bende kannibalen.

Dat ze prooien zijn geworden. En dat ze zullen doodgaan als ze niet rennen.

'We moeten de uitgang zien te vinden!' roept Remy, midden in een hoestbui. 'We moeten vooral niet in een kringe-tje rondlopen. We moeten de uitgang van dit klotelandgoed zien te vinden!'

Sarhaan kijkt op zijn namaak-Rolex.

'Nog maar tien minuten. Dan gaan ze naar ons op zoek!'

'Tenminste, als ze woord hebben gehouden!' benadrukt Remy. 'Misschien zitten ze al achter ons aan, die vuile smeerlappen!'

* * *

De vier jagers omsingelen de jongeman en bekijken hem met de houding van uitgehongerde roofdieren. Ze weten vrijwel niets van deze jongen. Iets meer dan een jaar geleden is hij plotseling uit het niets verschenen en heeft zich in deze streek gevestigd. Hij leidt een teruggetrokken leven in deze oude, bouwvallige boerderij, met zijn geiten en zijn bijen. Hij praat met vrijwel niemand. Af en toe is hij in het dorp. Hij gaat nooit naar de kapper. Maar alle vrouwen staren hem ondanks alles aan met een onverdraaglijke zachtheid in hun ogen.

Te mooi om fatsoenlijk te zijn.

Te discreet om normaal te zijn.

Kortom: een vreemdeling die raar is uitgedost, en die wellicht geen Fransman is. Oké, zijn voornaam is Sylvain, een volmaakte naam voor een bosbewoner. Maar wie weet of het wel zijn echte voornaam is?

Een voortvluchtige misdadiger? Iemand die uit het gekkenhuis is ontsnapt?

Sommigen beweren dat hij niet kan lezen en schrijven, dat hij niet helemaal goed wijs is.

De dorpsbewoners noemen hem 'de kluizenaar'.

Ze zijn niet op hem gesteld. Temeer daar iedereen zijn afkeer van jagers kent, heiligschennis!

Zelfs Katia, de hond van Roland, een prachtige Ierse setter, bekijkt de indringer argwanend.

De maten in hun jagerskleren profiteren van het moment. Hij is alleen, zij zijn met z'n vieren. Verder is er niemand in de buurt. Waarom zouden ze de dag niet beginnen met zich een beetje uit te leven?

'Wat wilt u van me?' vraagt de kluizenaar, die zich ongerust begint te maken.

'Wij? Niets!' zegt Margon spottend. 'Hoezo? Storen we je?'

'Ja, we storen hem,' doet de waard er nog een schepje bovenop. 'Hij houdt niet van mensen, hij houdt alleen van dieren!'

'Je overdrijft, Hugues!' roept Margon uit. 'Je bent een kwaadspreker! Luister, kluizenaar, je moet ophouden met je gesodemieter!'

Plotseling is de toon dreigend geworden. De jongeman zwijgt.

'Ik weet dat jij degene bent die onze uitkijkposten voor de jacht vernietigt!'

'En onze lijsterstrikken in de Causses!' voegt Severin Granet eraan toe.

De verdachte doet geen poging om te ontkennen. Hij waagt het zelfs te glimlachen.

Fout.

Lont in het kruitvat.

Eén simpele druk op de ontsteker en...

Roland Margon grijpt zijn jasje vast en drukt hem tegen de dichtstbijzijnde boom. Hij is een kop groter, maar de jongeman probeert toch uit zijn greep los te komen. Totdat Severin met zijn wapen naar hem wijst, wat hem meteen kalmeert.

'Ik weet dat jij het bent!' schreeuwt de apotheker, terwijl hij de keel van de jongeman dichtknijpt. 'Als je het nóg een keer doet, komen we terug en slaan we je in elkaar. Is dat duidelijk?'

'Laat me los, anders...'

'Anders wát? Roep je je grote zus?'

Geschater. De apotheker is toch bereid hem te laten gaan. Maar de anderen willen zich ook vermaken. Gilles amuseert zich door hem een fikse duw te geven. De man met de hoed wankelt en valt.

Opnieuw hoongelach.

Hij gaat staan en stormt op Gilles af. De anderen vangen hem in het voorbijgaan en schudden hem flink heen en weer. Hij verliest zijn trouwe hoofddeksel en zijn jasje in de strijd. Dan besluit hij het op te geven.

Het heeft geen zin om risico's te nemen. Ze hebben al een glaasje op en ze zijn gewapend: in het algemeen zijn alcohol en domheid geen goede combinatie.

Margon raapt het versleten, fluwelen jasje op.

'We zullen botje bij botje moeten leggen om kleren voor hem te kopen, jongens. Wat is dit voor vod?!'

De anderen hebben nog steeds lol. Ze lachen zich dood. Uiteindelijk is dit nog leuker dan de jacht.

De apotheker blijft met het jasje van de ongelukkige zwaaien. Dan valt er iets uit de zak. Een pasfoto.

Margon raapt hem op. Zijn gezicht betrekt.

'Verdomme, het is niet waar,' bromt hij. 'Het is de foto van Julie...'

Ineens valt er een stilte.

Alleen het geluid van de wind in de hoge takken.

Het geluid van de haat, die kolkt als een ondergrondse rivier.

Klaar om plotseling tevoorschijn te komen.

Margon gaat vlak voor de jongeman staan.

'Jíj bent het, klootzak... Jíj hebt haar vermoord!'

'Nee!' ontkent Sylvain. 'Nee!'

'Waarom zit die foto dan in je zak?' zegt Severin.

'Er is maar één verklaring mogelijk.' De apotheker klinkt vastbesloten. 'Hij heeft Julie gewurgd en deze foto uit haar tas gestolen.'

Vuile schoft!

Hoerenjong!

Het vonnis is geveld. Sylvain zit al op de elektrische stoel, het touw om zijn nek, de gifbeker aan zijn lippen.

'We brengen je naar de politie,' zegt Margon. 'Die zal je flink onder handen nemen. Zeker weten!'

'Ik heb het niet gedaan!' brult de kluizenaar. 'Ik heb haar niet vermoord! Ze was mijn vriendin!'

Het is praten tegen een muur. Dan probeert Sylvain te vluchten. Hij is volkomen in paniek. Hij struikelt over een wortel en valt languit op de grond. Onmiddellijk wordt hij door de meute ingehaald.

'Als je op de vlucht slaat, betekent het dat je schuldig bent!' roept Margon.

'Hoe heb je dat kind nou kunnen vermoorden!' voegt de waard eraan toe.

Zwijn, smeerlap, klootzak. Het regent scheldwoorden, samen met schoppen en kolfslagen tegen de schuldige, die nog op de grond ligt.

Eén klap, harder dan de andere. Slecht geplaatst.

Fataal.

Sylvain reageert niet meer.

Zijn aanvallers blijven even als verlamd staan. Dan hurkt Roland Margon neer en voelt de pols van het slachtoffer. Gelukkig draagt hij handschoenen. Hij zal geen enkele afdruk achterlaten.

'Hij is dood,' zegt hij, terwijl hij zich opricht.

'Wat?' kreunt de waard. 'Maak je een grapje?'

'Nee. Hij is dood, de klootzak...'

Severin en zijn zoon bewegen niet meer. Ze zijn acuut nuchter, met de snelheid van het licht.

Beter dan twee liter sterke koffie: een moord.

'Verdomme, wat hebben we gedaan?' jammert Gilles plotseling.

'Wat heb jíj gedaan,' corrigeert Roland op scherpe toon. 'Ik wijs je erop dat jíj hem die klap op zijn kop hebt gegeven. Maar wat een klootzak!'

Severin protesteert verontwaardigd. 'Maar we hebben hem allemáál geslagen!'

Opnieuw wordt het stil.

'Dat is waar,' geeft Margon toe. 'Kalm blijven iedereen, we gaan het regelen...'

'Hoe dan ook,' bromt Gilles, 'als de politie weet dat het een misdadiger is, dan...'

'De politie zal nooit iets weten,' onderbreekt de apotheker hem. 'Ben je nou helemaal op je achterhoofd gevallen?'

'Maar...'

'Maar wát? Crimineel of niet, we hebben een vent koud gemaakt! En als de politie dat te weten komt, draaien we de bak in. Is dat duidelijk?'

'Dan moeten we er snel vandoor gaan,' voegt Severin eraan toe.

'Nee. Allereerst moeten we ons ontdoen van het lijk,' zegt Margon.

'Hoe dan? Hem begraven?' stelt Gilles voor.

'Hoezo? Heb jij een schop in je tas?' zegt Roland geërgerd. 'Nee? Dan moeten we iets anders verzinnen! We zullen hem in de put gooien.'

Severin en de waard pakken het lijk beet en dragen het naar de oude put. Margon tilt het deksel op. Gilles helpt hen Sylvain in de lege put te kieperen. Het lijkt valt met een dof geluid op de bodem van de put. Het waterreservoir staat al heel lang droog.

Margon gooit de foto van Julie, het jasje en de hoed van de kluizenaar in zijn graf. Daarna legt hij het houten deksel weer op zijn plaats, met een grote, platte steen erop.

'Ziezo, niemand zal hem hier vinden,' besluit hij. 'Nu kunnen we vertrekken. Pak je geweren, we smeren 'm... Waar is Katia? Katia, hier!'

* *
*

Diane hapt naar adem.

Haar handen trillen. Haar hele lichaam trilt.

Een verschrikkelijk tafereel, waarvan de afschuwelijke beelden in haar hoofd door elkaar lopen.

Dankzij de zoomlens van haar Nikon heeft ze alles gezien. Ze heeft zelfs – automatisch – een paar foto's gemaakt.

Het is zo snel gegaan, terwijl het zo lang leek... Een oneindig lange nachtmerrie.

De jongeman is dood, afgeslacht door de jagers.

Door de mannen met wie ze de vorige avond een borrel heeft gedronken.

Waarom?

Jíj bent het, klootzak. Jíj hebt haar vermoord!

De schaarse woorden die ze kon horen, vanwege de afstand.

Julie?

Het doet er weinig toe. De enige moordenaars hier zijn zíj. Totdat het tegendeel is bewezen.

Diane krimpt ineen tegen de muur van de oude boerderij. Nu niet bewegen. Wachten tot ze weggaan en dan met haar gsm de politie bellen.

Er zit niets anders op...

Ze probeert zich te ontspannen.

Dan verschijnt Margons hond, die haar baas heeft horen roepen. De teef komt uit het bos, rechts van het huis.

Als het beest Diane ziet, blijft het abrupt staan.

Die stomme hond vestigt de aandacht op me! Donder op, verdomme!

Margon blijft fluiten. Katia, doof voor de bevelen, loopt naar de onbekende. Plotseling, zonder duidelijke reden, begint ze te blaffen.

Diane is doodsbang en slaat op de vlucht.

Margon gaat terug naar de boerderij en loopt eromheen. Als hij de gestalte ziet die wegvlucht, begint hij te schreeuwen.

'Verdomme, er ís iemand!'

Severin, die vlak achter hem loopt, pakt zijn verrekijker.

'Het lijkt wel de fotografe van gisteravond.'

3

Een alledaags bestaan, vrij rustig, geen strubbelingen, grote problemen of buitengewone angsten.

Remy volgt een afgebakend levenspad, zoals wanneer je de loop van een rustige rivier volgt, zittend in een bootje. Af en toe moet je een beetje roeien.

Gelukkige echtgenoot, een vader die zijn kleine Charlotte verwent, ingenieur met een veelbelovende carrière bij een middelgrote onderneming, een bloeiend bedrijf. Een fraai huis in een buitenwijk van Lyon. Niet ver van het platteland.

Een paar vrienden, een mooie auto, een rashond.

Elke winter een week skiën in chique vakantieoorden. Elke zomer een week vakantie aan de mooiste stranden van Spanje.

Niets bijzonders, niets speciaals.

Alleen, stiekem, een gevoel van sleur, dat soms zijn dagelijkse leven binnensluipt.

Pas als hij alles heeft verloren, beseft hij de waarde van wat hij bezat.

De dag waarop hij een enorme stommiteit heeft uitgehaald.

De grootste van zijn leven.

De dag waarop hij de liefde heeft bedreven met de vrouw van de baas.

Eén keer. Op een avond, na het werk. Een kleine vrijpartij van vijf tot zeven. Het was lekker, dat is waar, en het had onopgemerkt kunnen blijven.

Twee uurtjes, dat is alles. Ze zouden slechts een herinnering moeten zijn geweest om zijn oude dag op te vrolijken of zijn ego te versterken.

Maar daarna is alles met een verbazingwekkende snelheid verlopen.

Een spiraal, een cycloon, een verwoestende orkaan.

Aardbeving met kracht tien op de schaal van Richter.

Een ware ramp.

Was hij zijn begeerte en zijn hormonen maar de baas geweest.

Had die trut maar niet alles aan haar man bekend! Ze had haar geweten ontlast zonder ook maar een moment aan de vernietigende gevolgen van haar bekentenis te denken.

De baas, die hem dwingt ontslag te nemen, omdat hij anders Remy's ontrouw aan Remy's charmante vrouw bekend zou maken. Als de brief eenmaal is getekend, schept hij er een duivels genoegen in om de vrouw tóch in te lichten. Alleen maar om degene die het lef heeft gehad om hem tot de rang van hoorndrager te verlagen, de grond in te boren.

En nu heeft hij geen werk, geen uitkering.

En nu staat hij met zijn koffer op straat, want het huis is van zijn schoonouders.

En ligt hij in echtscheiding.

Met een bankrekening die zorgvuldig door zijn vrouw is leeggemaakt, tot op de laatste cent.

Vergeving kent ze niet. Zelfs niet na tien jaar huwelijk.

Zelfs niet na de belofte, plechtig, oprecht, wanhopig, dat hij het nooit meer zal doen.

De ontrouw wist alles uit, van de ene dag op de andere. Maar zíj is niet degene die overspel heeft gepleegd. Háár treft toch geen blaam?

En nu is hij een zwerver geworden. Het is zo snel gegaan dat hij niet de tijd heeft gehad om te begrijpen wat hem overkwam.

En nu leeft hij op straat.

Zijn makkers? Die geven natuurlijk niet thuis. Ze laten hem vallen als een baksteen.

Hij reist naar de hoofdstad, waar een jeugdvriend van hem woont, die hem niet zal kunnen verstoten en negeren. Hij zal hem vast en zeker helpen, na wat ze samen hebben doorgemaakt en hebben gedeeld.

Maar vrienden, echte vrienden, zijn zeldzame parels. Wat dat betreft, is Remy door schade en schande wijs geworden.

Het gezegde is waar: in nood leert men zijn vrienden kennen. Dat is een waarheid als een koe.

Ik kan je geen onderdak verlenen, ouwe jongen... Ik heb geen plaats... ik kan je alleen honderd euro voorschieten, als je wilt... Waarom heb je dan ook zoiets gedaan? Je bent echt een oen! Maar ja, je komt er wel weer uit...

Hij blijft in Parijs, ervan overtuigd dat hij er een nieuw leven zal kunnen beginnen.

Was hij maar niet gebrouilleerd met zijn ouweheer! Vanwege iets onbelangrijks, bovendien. Leefde zijn moeder nog maar... Zij zou hem hebben vergeven, zij zou hem hebben geholpen.

Maar hij heeft niemand meer.

Mama is gestorven aan kanker. Papa weigert zijn deur voor hem open te doen. Hij is enig kind, dus hij kan zich niet tot een broer of een zus wenden.

Nee, hij heeft niemand meer.

Hij zoekt een baantje, maar vindt er geen. Wel zwart werk, waardoor hij niet hoeft om te komen van de honger.

Hij slaapt op banken in plantsoenen. Soms zelfs op trottoirs.

Hij kan niet meer terug. Spoedig zal er niets meer van hem over zijn. Verbrijzeld. Kapot. Verpletterd.

Geen dak boven zijn hoofd, geen werk.

Geen werk, geen vaste verblijfplaats.

Noodgedwongen roept hij de hulp in van de vrouw die weldra zijn ex-vrouw zal zijn. Hij vraagt nog een keer vergiffenis, bidt en smeekt. Ik ben de vader van je dochter, ben je dat soms vergeten? Maar ze weigert hem te helpen of naar hem te luisteren. Je zou denken dat ze heel wat andere grieven en verwijten tegen hem heeft dan zijn kleine misstap van één avond.

Je zou denken dat ze slechts op een voorwendsel wachtte om een punt achter hun relatie te zetten.

Toch heeft hij het niet zien aankomen... Hij is verbijsterd. Na tien jaar met haar te hebben samengeleefd, kent hij haar niet. Herkent hij haar niet.

Hij ontdekt de gaarkeukens van het Leger des Heils, waaraan hij vroeger nooit een cent heeft bijgedragen, maar dat hem nu, zonder rancune, te eten geeft.

Hij ontdekt de aftakeling, toenemend, onverbiddelijk, die elke dag een beetje minder mens van hem maakt.

Hij ontdekt de blik die de anderen op hem werpen, woest of meewarig, als een belediging.

Ondraaglijk.

Hij ontdekt de onverschilligheid van de massa, het enige wat die duizenden mensen doen, is oppassen dat ze niet op hem trappen.

De massa, waarvan hij vroeger ook deel uitmaakte.

Hij leert eenzaam te zijn te midden van anderen. De ergste eenzaamheid, de wreedste.

Hij leert te bedelen, bij autoportieren, bij voorbijgangers in de metro, bij reizigers voor stations. Hij leert hoeveel pijn dat doet.

Hij leert onder de blote hemel te slapen, in weer en wind.

Pissen in goten of bloembakken. Zich niet elke dag wassen, niet drie keer per dag een maaltijd nuttigen.

Het is afgelopen met de vakanties in Couchevel of Spanje.

Het is afgelopen met de heerlijke gerechten van zijn trouwe echtgenote.

Het is afgelopen met de verhaaltjes die hij 's avonds aan Charlotte voorlas.

Kostuums, dassen en dure schoenen liggen in de kast.

Vergeten is de rust in zijn huis, waar hij zich soms verveelde.

Vergeten is Remy.

Natuurlijk probeert hij zijn dochtertje terug te zien. Na maanden wordt het gemis ondraaglijk... Hij lift naar Lyon. Maar als hij vlak bij zijn vroegere huis is gekomen, bedenkt hij zich, niet in staat de laatste meters af te leggen. Verlamd bij het idee dat hij Charlotte laat zien wat er van hem is geworden.

Bang dat ze bang wordt en zich schaamt voor het wrak dat vaag op hem lijkt.

Bang ook om zijn ex terug te zien. Om te ontdekken dat ze al een nieuw leven heeft opgebouwd, dat hij door een ander is vervangen, na slechts een paar maanden van afwezigheid.

Dan maakt hij zichzelf wijs dat hij later zal terugkomen, wanneer hij weer een menselijk uiterlijk heeft. Wanneer hij weer zijn sociale status heeft, zijn positie.

Zijn waardigheid.

Want uiteraard gaat het slechts om pech, een onvoorziene gebeurtenis.

Want uiteraard komt hij er weer uit. Wordt hij opnieuw wat hij is geweest.

Remy is nooit meer naar Lyon gegaan.

Elke morgen, bij het wakker worden, komt er één zin terug. Een gevoelige klap op zijn hoofd.

Had ik maar niet zo'n stommiteit begaan!

Als hij eraan terugdenkt, zou hij graag een mes in zijn hart steken en het een paar keer in de wond ronddraaien.

Ze had niets bijzonders, die meid! Het is alleen dat het hem een kick gaf de vrouw van de baas te pakken. Dat bewees dat hij een vrouw kon verleiden. Dat zorgde voor wat spanning in zijn leven.

Spanning?

Het heeft beslist zijn huwelijk onder spanning gezet! Tot de bom barstte.

Een enkele reis naar de hel.

Hij is nu in deze situatie beland vanwege een potje rolle-
bollen.

Het leven is wreed.

Meedogenloos.

4

'En dan te bedenken dat ik heb gejaagd toen ik jong was,' zegt Remy woedend. 'Wat een idioot! Mijn hemel, ik beloof er nooit meer mee te zullen beginnen.'

'Spaar je adem!' raadt Sarhaan aan.

Ze zijn opgehouden met rennen. Nu lopen ze snel, buiten de paden, door het kreupelhout, dat hen lijkt te beschermen. Remy volgt de Malinees, terwijl de Tsjetsjenen de rol van verkenner spelen.

'Verdomme, ik begin te geloven dat dit landgoed geen omheining heeft!'

'Die is er vast wel!' antwoordt Sarhaan. 'Anders zou het te gemakkelijk voor ons zijn!'

'Hoe kun je nou zo'n groot terrein hebben?'

'Als je maar genoeg poen hebt, dan...'

'Hoe laat is het?'

'Halfnegen. Ze zitten al twintig minuten achter ons aan...'

'Misschien zijn ze de verkeerde kant op gegaan!'

'Laten we dat hopen...'

'Ik kan nog steeds niet geloven dat we erin zijn getuind!'

'We kunnen nu maar beter onze mond houden...'

'Ik kan nog steeds niet geloven dat die gekken zich vermaken met het jagen op mensen als tijdverdrijf in het weekend!'

'*Vive la France!*' zegt Sarhaan spottend.

Eyaz en Hamzat zeggen niets, buitengesloten van dit gesprek waarvan ze niet veel verstaan. Af en toe een paar woorden. Maar toch hebben ze de tragische situatie begrepen. De rol die zij spelen in deze slechte film. Ze hebben er spijt van dat ze hun land hebben verlaten, ook al is het erger dan de hel. In plaats van hier zouden ze liever daar sterven, te midden van familie en vrienden.

Plotseling blijft Remy staan.

'Horen jullie dat?' fluistert hij.

'Wat?'

'De honden...'

'Het is ver weg,' bromt Sarhaan.

'Maar het komt dichterbij...!'

De Tsjetsjenen beginnen weer hard te lopen, Remy en Sarhaan volgen op de voet.

Rennen, steeds sneller. Steeds verder.

Vluchten voor de dood die boven hen zweeft. Een roofvogel met enorme vleugels, waarvan de schaduw hen al verslindt.

Toch is het maar een spel.

* **

De aasgier cirkelt rond, boven het bos. Een vale gier. Zo majestueus in de lucht, zo onbeholpen op de grond...

Een aantal meters onder hem rennen vier mannen in kaki kleren.

'We moeten haar vinden!' roept Roland Margon uit, terwijl hij nog harder gaat lopen.

'En daarna?' vraagt Severin. 'Wat gaan we dan doen?'

De apotheker draait zich om en kijkt Severin minachtend aan.

'Wat wil je doen? Ik wijs erop dat we zojuist een vent hebben omgebracht. Dat jouw zoon zojuist een vent heeft omgebracht!'

'We zijn er allemaal bij betrokken!'

'Ja, maar Gilles heeft de fatale klap gegeven!'

De zoon zegt niets. Hij lijkt diep geschokt.

'En als die griet haar mond opendoet tegen de politie, belanden we alle vier in de gevangenis!' verkondigt Roland.

'Het was niet onze bedoeling hem te doden! En verder was het een moordenaar, een smeerlap!' antwoordt Severin.

'Dat zal niet veel veranderen,' voegt de waard er plotseling aan toe. 'Als ze ons verraadt, sluiten ze ons op. En beslist niet voor korte tijd...'

Ze zwijgen even. Dan neemt Margon, de leider van het merkwaardige jachtgezelschap, weer het woord.

'Ik heb een vrouw en twee jongens. Ik wil niet in het gevang eindigen. Dus we móéten dat meisje vinden en haar het zwijgen opleggen.'

Opnieuw valt er een stilte. Een diepe, doodse stilte. Vol schuldgevoel of schrik.

'Misschien zijn dreigementen voldoende om haar haar mond te laten houden,' zegt de waard plotseling.

'Hoe dan ook, we moeten haar vinden,' besluit Margon. 'Hier zijn we nog niet klaar mee!'

'Ik kan niet meer... Ik ga dood...'

Sarhaan pakt Remy's arm vast.

'Schiet op... Je moet hier niet blijven!'

'Ik ga dood, zeg ik je!'

'Als je hier blijft, ja, dan zul je doodgaan!'

'Je kunt de pot op!'

Remy probeert weer op adem te komen. Zijn drie metgezellen zijn ook moe. Maar ze blijken taaier te zijn dan hij.

'Probeer dan in elk geval te lopen.'

Remy komt weer in beweging.

'Misschien willen ze ons niet doden, maar zich alleen maar amuseren,' zegt hij met gebroken stem.

'Heb je de ogen van die vent gezien? Geloof je echt dat hij een grapje maakte? Denk je dat hij ons hierna naar huis laat gaan? Wíj kunnen niet naar de politie gaan, maar jíj wel. Nee, het is echt geen spel.'

Onverbiddelijke woorden die Remy's laatste hersenschimmen vernietigen. Ook al heeft hij wel eens gehoord van menselijke wreedheid door geweld, hij kan maar niet accepteren dat zijn medemensen daartoe in staat zijn.

Walgelijk!

Zijn maatjes lijken minder onthutst. Ze hebben ongetwijfeld dingen meegemaakt of gezien die zo hard zijn dat ze weten hoever de mens kan gaan.

Tot aan welke grenzen, tot aan welke beestachtigheid.

Plotseling begint Eyaz te schreeuwen en druk te gebaren.

De muur.

Eindelijk.

Ze rennen erheen en kijken omhoog.

Het lijkt wel de Chinese Muur!

'Verdomme! Het lukt ons nooit hieroverheen te klimmen!' roept Remy.

Een hoogte van twee meter vijftig, en boven op een ijzeren afrastering.

'Dat lukt ons wel!' stelt Sarhaan hem gerust.

'Ja, maar niet allemaal. Een van ons zal noodgedwongen achter moeten blijven.'

Drie die over de muur klimmen, een die blijft.

Drie die leven, een die sterft.

Iene miene mutte...

Ze kijken elkaar even aan, terwijl het geblaf in de verte hen eraan herinnert dat ze niet de tijd hebben om te loten of om hartverscheurende afscheidswoorden uit te wisselen.

'Oké, klimmen jullie maar op mijn schouders,' besluit Sarhaan. 'Jullie gaan hulp zoeken en ik wacht op jullie... Ik reken op jullie!'

Remy kijkt hem bewonderend aan. Niemand heeft zich ooit voor hem opgeofferd. Even overweegt hij Sarhaans plek in te nemen. Heel even maar.

De Malinees gaat met zijn rug tegen de muur staan. Dan geeft hij Hamzat een teken. Hamzat aarzelt niet lang. Hij krijgt een kontje en staat dan op de schouders van de lange neger. Hij houdt zich vast aan de bovenkant van de muur. Sarhaan heeft moeite om het gewicht van de jonge reus te dragen, maar hij houdt vol.

Stoïcijns.

'Kom op!' moedigt Remy aan. 'Snel over de muur, kleintje… Ik kom terug met de politie, Sarhaan, ik zweer het!'

Eyaz spoort zijn maatje ook aan tot snelheid.

Hamzat trekt zich zo goed en zo kwaad als het gaat op aan een ijzeren piket. En ineens de schok. Hij slaakt een kreet, laat los en valt achterover op de grond.

Met een angstaanjagend geluid.

Daar ligt hij, aan de voeten van zijn oudere broer.

*_**

Zich verstoppen achter een struik, een rotsblok? Of zo snel mogelijk blijven rennen?

Vooralsnog heeft Diane gekozen voor de vlucht. Instinctmatig.

Ze weet dat ze vlak achter haar zijn, dat haar voorsprong minimaal is.

Net als haar levensverwachting, van nu af aan.

Ze weet dat ze het terrein uitkammen om haar te vinden. Om haar te doden.

Met een kogel in haar hoofd, of erger. Door haar af te ranselen, zoals bij de jongeman wiens zwaargehavende gezicht en kreten van pijn haar achtervolgen.

Ze blijft een paar seconden staan om haar kaart te raadplegen. Haar handen trillen, haar blik is troebel. Haar hart gaat als een razende tekeer.

Ze weet ongeveer waar ze zich bevindt.

Teruggaan naar haar auto, dát is wat ze moet doen.

Voordat ze verder loopt, probeert ze opnieuw haar gsm te gebruiken. Geen bereik, natuurlijk.

'Verdomme, verdomme, verdomme…'

Ze houdt de telefoon in alle richtingen, maar hij weigert te knipperen.

Het heeft geen zin. Het lukte al niet in het dorp, dus hier, midden in de rimboe...

Ze gaat weer verder.

Om bij haar auto te komen zal ze op haar schreden moeten terugkeren.

Het terrein is grillig, onregelmatig. Buiten de paden lopen blijkt vaak onmogelijk. Te gevaarlijk. Als ze een been breekt, is ze de klos.

Ze loopt rechtuit, haalt haar vel open aan doornstruiken en verzwikt haar enkels, en belandt eindelijk op een nieuw bospad. Als ze het goed heeft ingeschat, bevinden de achtervolgers zich beneden haar. Ze moet ze dus bovenlangs omzeilen.

Tenzij ze hen tegen het lijf loopt.

Een kans van één op twee.

Een kans van één op duizend...

9.30 uur

De afrastering staat onder stroom. Dat hadden ze wel kunnen raden. Die schoften wisten dat natuurlijk. Het was te gemakkelijk.

Remy loopt door. Bijna als een robot. De ene voet voor de andere. Hamzat leunt op zijn schouder. Bij de val heeft Hamzat zijn knie gebroken. Zijn broer, Sarhaan en Remy lossen elkaar af om hem te steunen en te helpen. Maar hij klaagt niet. Telkens wanneer zijn rechtervoet de grond raakt, vertrekt zijn gezicht van de pijn.

Remy loopt verder.

Met het gewicht van de angst die zijn hart samendrukt.

Het gewicht van de vermoeidheid, als een loden bal die aan zijn benen is vastgeketend.

Het gewicht van herinneringen aan het verleden, waarin gevoelens van spijt en wroeging opkomen.

Hij heeft duidelijk het gevoel dat hij achteruitloopt. Dat hij wegzinkt in melancholie. In het niets.

Ik ga dood. Terwijl ik van niets heb genoten. Terwijl ik een hondenleven heb gehad.

Ik zal sterven als een hond.

Logisch eigenlijk. Doodgaan zoals ik heb geleefd.

Hij zou op dit moment ergens anders moeten zijn, genietend van een copieus ontbijt. Samen met zijn vrouw en zijn dochter. Hij kan bijna de geur van croissants en koffie ruiken. Hij kan Charlotte bijna horen lachen, altijd goedgehumeurd bij het opstaan.

Maar nee, hij is hier en zwerft door dit onherbergzame bos, met onbekenden, die net als hij op de vlucht zijn. Met deze gewonde, die zwaar aanvoelt, steeds zwaarder.

Met die rotzakken die hem opjagen als wild. Hij is een prooi geworden. Niets méér.

Vermaak voor perverse, bloeddorstige miljardairs.

Hij realiseert zich dat hij hier is omdat hij al geen leven meer had.

Een stuk afval dat uit een vuilnisbak is gevist.

Geen familie, geen vrienden, niemand om zich druk te maken over je toekomst.

Die rotzak heeft gelijk. Als ik verdwijn, zal niemand het merken. Ze kunnen me in een massagraf gooien, niemand zal mijn lichaam opeisen.

Ik kan doodgaan, dat interesseert niemand.
Ik ben niets. Niets meer, al lange tijd.
Een lijk dat ademt, praat en loopt.
Ik besta niet meer.
Ben al dood.
Waarom ben ik dan zo bang?

5

10.00 uur

Gewoonlijk zijn hun jachtpartijen zo speciaal dat zij ze voor niets ter wereld zouden willen missen. Roland Margon vertrouwt de sleutels van zijn apotheek toe aan zijn assistente, Hugues sluit zijn herberg, Severin Granet en zijn zoon verlaten hun boerenbedrijf voor een dag. Nee, de vrienden zouden het zich voor niets ter wereld willen ontzeggen. Die momenten van saamhorigheid, van echte kameraadschap.

Maar vandaag zijn de gezichten gesloten, strak, bang.

De angst is tastbaar.

Er wordt weinig gezegd.

Ineens laat Severin zijn schorre stem met het typisch Cevense accent horen.

'Ik hoop dat jij je niet vergist! Als ze de andere kant op is gegaan, zitten we in de penarie...'

'Ze zal absoluut proberen haar auto te bereiken,' stelt

Roland hem gerust. 'Dat is logisch. Tenminste, dat zou ík doen als ik haar was.'

'Stel dat ze daar eerder is dan wij?'

'Ze kent dit gebied niet. Ze kan niet het grote pad volgen. Ze zal bang zijn dat ze ons dan tegen het lijf loopt. We zullen vóór haar arriveren, dat is zeker. We verstoppen ons niet ver van haar auto en dan zit er niets anders op dan te wachten.'

'Ja, tot we een ons wegen!' bromt Hugues.

'Hou je bek!' commandeert Roland. 'Het is dát of de nor, vergeet dat niet.'

'Weet je zeker dat we haar auto hebben gezien toen we hier kwamen?' vraagt Gilles ongerust.

'Hoezo? Heb jij dan nog een andere gezien? Bovendien eindigt het kentekennummer op 75. Ze heeft toch gezegd dat ze uit Parijs kwam?'

Ze zetten zwijgend hun zoektocht voort. De sfeer is verstikkend, ondanks de koude wind in de Cevense bergen. Er trekt een sluier voor de zon. Ongetwijfeld zal het in de loop van de dag gaan onweren.

Geen ontkomen aan.

'Misschien was hij het uiteindelijk niet,' bromt Severin plotseling.

De waard schrikt op bij het horen van de stem van zijn vriend.

'Wat zeg je?' snauwt Roland.

'Misschien is de kluizenaar Julies moordenaar niet,' herhaalt Granet.

'Natuurlijk is die idioot de dader!' zegt de apotheker. 'Wie zou het anders moeten zijn?'

'Geen idee... Verdomme, wat hebben we gedaan?'

'Ik wilde hem alleen maar tegenhouden, niet doden!'
Roland wordt kwaad. 'Als jullie je niet zo hadden opgewonden!'

Gilles pakt plotseling zijn schouders vast en dwingt hem
zich om te draaien.

'Jij hebt net zo goed geslagen als wij, weet je nog?'

'Ja, ik weet het. We zitten allemaal in hetzelfde schuitje.
Dus stappen we er ook samen weer uit. Oké? En haal nu
je hand weg, en snel...'

Gilles gehoorzaamt. Hij slaat zijn ogen neer en laat zijn
geweer zakken.

Hij verzinkt weer in gedachten. Hij ziet twee gezichten
voor zich: dat van Sylvain, doodgeslagen.

En dat van Julie.

De bewonderenswaardige, fantastische Julie. De volmaakte Julie.

Die alle mannen gek maakte als ze passeerde.

Die zich nooit had verwaardigd haar fonkelende blik op
zíjn persoontje te richten. Zich nooit had verwaardigd
tegen hem te glimlachen. Hij, net zoals zijn vader een een-
voudige boer, wiens trieste lot het is binnenkort de leiding
van het boerenbedrijf over te nemen. Trouwens, hij heeft
niet het gevoel dat hij iets anders kan, alsof die ruwe maar
vruchtbare grond hem geen keus laat.

Hij maakt er deel van uit.

Hij kan zich er niet van losmaken. Hij denkt dat hij
anders zal verwelken als een plant die uit zijn grond is
gerukt.

Ja, op een dag zal hij alles bezitten. En dan kan hij met
gemak een gezin onderhouden.

Hij zou dat allemaal het liefst hebben gedeeld met Julie,

ook geboren en getogen in deze streek. Ook kind van een boer. Maar die, in tegenstelling tot hem, de wens koesterde om te ontsnappen en de hoofdstad, de wereld, te veroveren.

Julie...

Hoe vaak heeft hij niet van haar gedroomd? Hoeveel van zijn nachten heeft ze niet gevuld?

Hoe vaak heeft hij niet haar sierlijke voetstappen gevolgd?

Hoeveel uren heeft hij niet op haar gewacht, op de plek waarvan hij vermoedde dat ze zich zou vertonen? Alleen maar om haar gestalte een paar seconden te zien.

Zoveel gestolen beelden...

Hij herinnert zich de dag waarop ze haar blauwe halsdoek in de dorpskroeg had laten liggen. Alvorens hem aan haar terug te geven, had hij hem een week bij zich gehouden. In zijn zak, in zijn bed. Hij had de heerlijke geur ervan ingeademd, zonder er ooit genoeg van te krijgen.

En die woede als hij haar met een ander zag flirten, als hij haar tegenkwam aan de arm van een man die niets méér had dan hij.

Niets meer? Vast en zeker wel. De woede werd dan nog groter. De pijn heviger. Het was het toppunt van belediging.

Hij zou álles voor haar hebben gegeven. Maar zij wilde niets van hem.

Domweg omdat hij niet bestond. Buitengesloten van haar wereld, haar horizon, haar gezichtsveld.

Van haar leven.

Hij had liever gehad dat ze een hekel aan hem had. Dat was tenminste íéts!

Maar nee, ze zag hem niet eens.

Terwijl hij alleen maar háár zag. Alleen maar aan háár dacht. Zijn hoop alleen op háár had gevestigd.

Een dodelijke, verwoestende, castrerende obsessie.

Gilles volgt zijn vader op de voet. Maar vóór hem loopt slechts Julie. Overal, in elke windvlaag, in elk geritsel van bladeren. Haar gezicht verschijnt in de schors van de bomen, in de onbestendige lucht.

Terwijl ze dood is.

Maar ook al is ze een gevangene van het hiernamaals, ze blijft hem achtervolgen.

Logisch, voor een geest.

Hij had gedacht dat ze, als ze eenmaal was begraven, hem geen pijn meer zou doen.

Hij had zich vergist. Het is nog erger dan voor die tijd.

Plotseling steekt een hert over, vijf meter voor de groep uit. De hond blijft staan.

Het prachtige beest aarzelt even en kijkt naar hen.

Automatisch, uit gewoonte, willen ze schieten. Doden.

Het dier vlucht met de snelheid van het licht.

Vandaag heeft het geluk.

Vandaag is het niet de prooi.

₊

'Zullen we ons verstoppen?' stelt Sarhaan voor. Hij kan haast niet meer lopen...

Hamzat ziet lijkbleek, de pijn vervormt zijn gezicht. In een uur tijd is hij tien jaar ouder geworden. Verschrikkelijk.

En hij is nog zo jong. Amper zestien.

'Binnen twee uur zullen de honden ons vinden!' antwoordt Remy. 'Die smeerlappen volgen ons spoor! Het is niet voor niets dat die andere klootzak ze aan onze sokken heeft laten snuffelen! We moeten blijven lopen, dat is onze enige kans om er heelhuids van af te komen! Laten we in de buurt van de muur blijven. We zullen uiteindelijk wel een plek vinden waar het makkelijker is om aan de andere kant van de muur te komen... een opening, een gat!'

'We zullen er nooit overheen kunnen klimmen. Overal staat stroom op!'

'Luister, ouwe jongen, als we ons verstoppen is het toch net alsof we op de dood wachten? Doe jij maar wat je wilt, maar ík blijf naar de uitgang van dit kloteterrein zoeken!'

'Wind je niet op,' tempert Sarhaan.

Ineens vraagt Remy zich af waarom hij hen niet in de steek laat, waarom hij niet sneller gaat lopen. Uiteindelijk heeft hij niets met hen te maken. De vorige dag kende hij hen nog niet eens! Dan beseft hij dat hij, in zijn eentje, nog banger zou zijn.

Maar is dat werkelijk de enige reden?

'We moeten het volhouden tot het donker is. Daarna zien we wel,' besluit hij.

Hamzat klampt zich vast aan de schouder van Sarhaan en aan die van zijn broer. Zoals je je aan het leven vastklampt. Zijn been is ontzettend gezwollen. Bij elke beweging wordt hij misselijk van de pijn. Bij zijn val heeft hij een gat in zijn hoofd gekregen. Het bloed stroomt in zijn nek, zijn oude trui is drijfnat.

Hevige hoofdpijn.

Dorst. Brandende dorst.

Warm, koud. Tegelijk.

Angst.

Toch kent hij de dood. Hij heeft hem van dichtbij gezien.

Hij is er zo vaak mee in aanraking geweest. Hij heeft hem zo vaak vermeden. Hij heeft hem erin laten lopen, hem in zijn gezicht uitgelachen.

Hij heeft zich in hem verloren, nachtenlang.

Hij komt uit het vagevuur, gaat terug naar af.

Nu weet hij het.

Dat hij gaat sterven.

Dat hij zijn geboortegrond heeft verlaten om op een kerkhof te belanden.

Dat hij zijn eigen graf heeft gegraven door zijn grote broer naar deze onbekende streken te volgen.

Hij weet dat het geluk een omweg heeft gemaakt om hem te vermijden. Dat God hem ergens voor straft. Maar Hamzat weet niet waarvoor... Is hij nu niet genoeg gestraft? Een vreselijke jeugd, een puberteit die nog erger was. Waarom achtervolgt het noodlot hem zo?

Hij piekert zich suf, maar hij ziet het niet. Begrijpt het niet.

Trouwens, hij heeft niet meer de kracht om het te begrijpen.

Plotseling blijft Remy staan. Ze bevinden zich aan de rand van het bos. Achter de plantengrens ligt een groot, uitgestrekt wateroppervlak, dat schittert in de zon. Een idyllisch panorama in een nachtmerrieachtige situatie.

'We kunnen beter in de veilige beschutting van het bos blijven,' zegt hij.

'Ja,' stemt Sarhaan in. 'Dat is inderdaad beter.'

Eyaz komt tussenbeide. Half in het Engels, half in het Frans, met af en toe een paar woorden in een vreemde taal, probeert hij hun iets uit te leggen. Door het water lopen, zodat de honden hun spoor kwijtraken.

'Je hebt gelijk!' roept Remy uit. 'Dan kunnen ze ons niet meer ruiken.'

Ze vervolgen hun kruisweg en naderen de vijver. Al snel wordt de grond rul. Hun vermoeide voeten zakken erin weg. Ze willen om de vijver heen lopen, naar het bos aan de overkant. Met z'n tweeën steunen ze de gewonde, die zich tot het uiterste inspant om vooruit te komen op deze moerassige grond.

Het is moeilijker dan ze hadden verwacht. Hamzat zakt in elkaar. Ze helpen hem weer overeind en bemoedigen hem. Zijn broer begint zelfs een Tsjetsjeens liedje te neuriën. Om de angst aan banden te leggen.

Om het lot te tarten.

Ineens beseffen ze dat ze niet alleen zijn.

Dat de dood hun recht in de ogen kijkt.

* * *

De Lord wisselt een samenzweerderige blik met Delalande. De enige klant van hem die al aan verscheidene klopjachten heeft deelgenomen.

Een vaste klant, verslaafd aan de mensenjacht.

Vandaag maakt hij het jagen op mensen voor de vierde keer mee.

Voordat ze hun paard bestegen, terwijl hun prooien naar het bos vluchtten, hebben de deelnemers aan de jacht hun keus gemaakt.

Vier prooien, vier jagers. Zij moesten hun doelwit uitkiezen.

Zoals paardenkopers die hun beesten selecteren voor het slachthuis. Uit hoffelijkheid hebben de mannen de Oostenrijkse als eerste laten kiezen. Daarna hebben ze de drie anderen onder elkaar verdeeld. Ja, vandaag is ook een vrouw van de partij.

Anatoli Konstantinovitsj Balakirev, de Russische jager, heeft niet geaarzeld. Het is op zíjn verzoek dat de Lord de Tsjetsjenen is gaan halen. Twee voor de prijs van één! Natuurlijk heeft de Rus een klein bedrag extra betaald om te krijgen wat hij wilde: zijn droom werkelijkheid laten worden.

À la carte is altijd duurder.

De Rus is in zijn land een groot beoefenaar van de jacht. Hij vertegenwoordigt bijna alles wat de Lord veracht.

Hij maakt deel uit van de oligarchen die een fortuin hebben vergaard door in de jaren negentig te profiteren van het herstel van het kapitalisme, van de privatisering van openbare ondernemingen die voor een paar centen werden verkocht.

Ja, Balakirev heeft trots zijn vlag op een geldberg geplant. Hij bezit een begerenswaardig vermogen, maar niet veel anders. Hij is grof, vulgair, primitief, laag-bij-de-gronds, obsceen... Hij verzamelt kunstwerken omdat ze duur zijn, maar hij kan geen Renoir van een Monet onderscheiden. Hij vertoont zich in het openbaar met luxe hoeren, in luxehotels.

Een man die niet jaagt, maar de prooi afmaakt met een Russische mitrailleur.

Een slager, niets anders.

Maar wel een slager met een bloedend hart. Want de Lord heeft begrepen dat Balakirev een zoon heeft verloren in een aanslag die door Tsjetsjeense verzetsstrijders was gepleegd. Daarom wilde hij een speciaal gerecht. Hij zou beslist hebben meegedaan, ongeacht de nationaliteit van de prooien, maar dit zal nog smakelijker zijn.

Balakirev heeft veel geld betaald. Hij was met name aanbevolen door iemand die je niets kunt weigeren. Dus heeft de Lord hem niet van zijn privéclub kunnen uitsluiten.

Anatoli heeft Hamzat, de jonge Kaukasiër, gekozen.

Dat komt goed uit. Hamzat heeft als eerste de onder stroom staande afrastering getest.

Hij zal als voorgerecht worden opgediend.

Balakirev likt zijn lippen er al bij af.

* ** *

Diane heeft net een nieuw pad bereikt. Volmaakte stilte. Niemand te zien.

Ze zucht, en daarna glimlacht ze. Ze heeft zelfs zin om te lachen!

Ze herkent deze plek, ze is er vanmorgen langsgekomen. Dit eigenaardige kruispunt. Hiervandaan weet ze hoe ze weer bij haar auto moet komen.

Veilig en wel.

Als ze maar elke gevaarlijke ontmoeting vermijdt.

Waar zijn ze?

Waar zijn die schoften die in staat zijn met z'n vieren een man om te brengen?

In staat zijn hem dood te schoppen.

In staat zijn het lichaam te laten verdwijnen en zo hun misdrijf uit te wissen. Met angstaanjagende koelbloedigheid.

In staat tot álles!!

Ze staat te trillen op haar benen van angst.

Maar ze moet verder.

Ze zal zo voorzichtig mogelijk doen. Wat zou ze graag een van die herten zijn. Behendig, snel, onzichtbaar. Sterk.

Of een van die gieren, om door de lucht weg te kunnen vliegen... Maar ze is slechts een mens.

Ze begint naar beneden te lopen, met stevige pas. Met deze snelheid zal ze een halfuur nodig hebben om bij haar auto te komen. De auto waarnaar ze nog nooit zo verlangd heeft als nu.

Een halfuur, hooguit.

Dertig angstige minuten.

10.30 uur

Ze blijven als verstijfd staan.

Het dodelijke jachtgezelschap is zojuist uit het bos rechts van hen opgedoken.

Driehonderd meter bij hen vandaan, meer niet.

Driehonderd meter die hen scheidt van de dood.

Het is nu afgelopen. Eindpunt! Iedereen uitstappen.

Na een paar seconden stil te hebben gestaan willen ze het weer op een rennen zetten.

Maar Hamzat kan het niet. Hij kan of wil niet meer.

Sarhaan en Eyaz laten hem niet los. Remy doet ook mee. Met z'n drieën slepen ze hem voort, terwijl de ruiters zijn gestopt om van het vergezicht te genieten. De honden blaffen aan het eind van hun eindeloos lange lijnen, die worden vastgehouden door knechten van de Lord.

Na twintig folterende meters zakt Hamzat ineen.

'Ga!' roept hij.

De anderen helpen hem weer overeind, ze weigeren het op te geven.

'Ga!' herhaalt de jonge Tsjetsjeen. 'Vlucht!'

De ruiters bewegen nog steeds niet.

Waarom niet?

'Ga!' smeekt de gewonde.

Sarhaan en Remy kijken elkaar verward aan.

Blijven en sterven. Of wegrennen en later sterven?

Hun vrienden overlaten aan hun rampzalige lot? Want Eyaz zal zijn maatje niet verlaten. Ze zullen samen weggaan.

De paarden lopen langzaam naar voren, zonder enige haast.

Hamzat smeekt zijn broer nóg een keer. Maar die geeft niet toe. Eyaz tilt hem op zijn rug en probeert vooruit te komen in de modderpoel, ondanks de last op zijn schouders. Hij valt. Sarhaan maakt rechtsomkeert om Eyaz een helpende hand toe te steken. Hij is sterker en steviger dan de Tsjetsjeen. En dan draagt híj Hamzat op zijn rug.

De Lord pakt zijn geweer. De eerste schoten.

Ze zullen het niet redden, tenzij ze hun snelheid verhogen. Dat heeft Hamzat goed begrepen. Hij geeft op, definitief, en laat zich op de moerassige grond glijden. Hij maakt zich onvervoerbaar.

Hij zegt iets tegen zijn broer, het is ongetwijfeld een smeekbede. Ten slotte gelast hij, met een simpele blik, Sarhaan en Remy in actie te komen voordat het te laat is.

Er zijn momenten waarop een taalbarrière niet meer bestaat.

De neger en de Fransman aarzelen even. Een derde schot zorgt ervoor dat ze een besluit nemen. Ze pakken Eyaz beet en proberen hem te dwingen hen te volgen. Maar hij weigert en verzet zich.

De seconden gaan voorbij, de dood nadert.

Dan slaan Sarhaan en Remy op de vlucht. Ze rennen zo

hard mogelijk langs de vijver, met het geluid van hun stampende voeten op de grond.

Met het schuldgevoel dat hen verstikt, hen vertraagt.

Met een paar kogels die hun om de oren fluiten, maar hen niet raken.

Het enige doel van die schoten was hen te dwingen Hamzat op te geven.

Hamzat, die nog steeds op de grond zit en hen met zijn blik volgt, door zijn tranen heen. Hij huilt niet omdat hij veroordeeld is, maar omdat zijn broer er nog steeds is, vlak bij hem. Nutteloos bolwerk tegen een verloren dood.

Als ze aan de andere kant van de vijver zijn gekomen, draaien Remy en Sarhaan zich om. De ruiters achtervolgen hen niet. Ze omsingelen de Tsjetsjeen. Hamzat is weer gaan staan, in een laatste poging tot waardigheid.

Rechtop sterven.

Twee knechten maken zich van Eyaz meester en houden hem uit de buurt van zijn broer.

Dan gebiedt de Lord de honden zich koest te houden en richt hij zich tot de vluchtelingen, met een stem die de muren van de hel zouden doen trillen.

'We zullen ons later met jullie bezighouden! Het zou te makkelijk zijn om jullie nú te doden! Te snel! Geniet dus van het schouwspel!'

Eyaz probeert zijn broer te hulp te schieten, maar de twee knechten houden hem tegen. In zijn moedertaal roept hij beledigingen en dreigementen. Lachwekkend.

De Lord glimlacht. Zijn befaamde, afschuwelijke glimlach.

'Aangezien jij ook wilde blijven, mag jij op de eerste rij zitten.'

Sarhaan en Remy denken er niet meer aan om verder te

rennen, ze hebben begrepen dat ze later de tijd zullen hebben om te vluchten.

Ze hebben begrepen dat ze om de beurt worden gedood en niet allemaal tegelijk.

De regels van het spel... Ze zien een tafereel dat het bloed in hun aderen doet stollen.

De honden beginnen weer te blaffen, in een naargeestig concert.

Hamzat gaat langzaam achteruit. Balakirev loopt met zijn wapen in de aanslag naar hem toe.

'We gaan eens kijken of je kunt zwemmen!' schampert hij in zijn moedertaal. Met uitpuilende ogen blijft Hamzat achteruit wankelen. Hij zakt opnieuw in elkaar.

'Sta op!' beveelt de Lord. 'Ik dacht dat de mensen van jouw ras dappere krijgers waren!'

De jager loopt naar zijn angstige prooi, die zo goed en zo kwaad als het gaat overeind komt en naar het modderige water strompelt.

Het geluid van het schot doorklieft de hemel – en de trommelvliezen. Een van de hengsten steigert, zijn berijder valt op de grond.

Hamzat brult. Hij is in zijn andere been geraakt en zakt in elkaar. Hij probeert niet weg te zinken, terwijl hij langzaam wordt opgezogen door het niets. Door de modder. Hij krijgt herhaaldelijk water binnen en roept om hulp.

Eyaz probeert opnieuw weg te stormen in de richting van de vijver, maar de handlangers van de Lord houden hem krachtig tegen. Eyaz wordt zo gewelddadig dat ze gedwongen zijn hem tegen de grond te drukken.

Tweehonderd meter verderop begint Remy te trillen. Van top tot teen.

Sarhaan houdt zijn handen op zijn oren.

Ze zijn verplicht alles te ondergaan...

Het geschreeuw van hun vriend die verdrinkt...

Het geschreeuw van diens broer.

Hamzats langzame doodsstrijd.

Er komt nooit een einde aan...

Oneindige seconden, minuten misschien.

Ten slotte komt Balakirev naderbij. Met zijn voet duwt hij het hoofd van de jongeman naar beneden.

Houdt hem onder water, tot hij niet meer beweegt.

Helpt hem definitief naar de andere wereld.

6

11.00 uur

Het is er, het wacht op haar.

Haar mooie, grijze autootje. Netjes neergezet aan de rand van het pad.

Diane blijft staan.

Niet meer dan enkele tientallen meters af te leggen om terug te keren naar de beschaafde wereld.

Niet meer dan een paar stappen en toch...

Ze is misselijk van angst, ze twijfelt en staat te trillen op haar benen.

Vrouwelijke intuïtie? Voorgevoel?

Terwijl ze zich schuilhoudt, kijkt ze om zich heen en luistert. Ze ademt de lucht in, als een dier in doodsnood.

Geen beweging, geen geluid. Behalve het gezang van vogels, het geruis van de wind en dat van een rivier in de verte.

Ondanks alles weigeren haar benen haar verder te brengen.

Kom, meid, niet bang zijn, eropaf... Ren en kruip achter het stuur!

Ze houdt de sleutel in haar hand. Eén stapje wagen, en dan nog één... Ze staat nog steeds stil, verstopt achter een boom. Ze haalt haar Nikon uit haar tas, zoomt maximaal in en speurt het landschap af. Ook het struikgewas in haar omgeving. Het hart klopt haar in de keel.

Niets opvallends. Alles lijkt rustig, stil, vredig.

Té, misschien?

Dan ziet ze dat een struik licht beweegt, een meter of twintig van haar auto verwijderd. Ze richt haar Nikon op die plek. Door het gebladerte heen kan ze vaag een donkere massa onderscheiden die op de grond ligt. Hallucinatie? Zinsbegoocheling, voortgekomen uit angst?

In een flits weet ze het zeker. Haar handen beginnen te trillen.

Loop achteruit.

Dat doet ze, langzaam. Ze draait haar hoofd naar rechts en naar links. Ze zijn er. Ze voelt het, ze weet het. Ze voelt het tot in haar buik.

Een hinderlaag.

Ze draait zich snel om en rent de andere kant op.

Schot. Schok, pijn.

Ze valt, maar gaat onmiddellijk weer staan en vervolgt haar dolle vlucht langs bomen, struiken en varens. Ze volgen haar, ze hoort hen. Het geluid van hun stappen. Als een legioen demonen dat haar op de hielen zit.

Maar geen enkele hindernis houdt haar tegen, geen enkele verwonding remt haar af.

Tweede schot, de kogel gaat rakelings langs haar heen. Ze schreeuwt.

De angst geeft haar vleugels.

Ze vliegt...

* * *

Remy huilt. Dat is hem in lang niet overkomen. Een eeuwigheid geleden. Zelfs op de bodem van de afgrond heeft hij niet gejankt.

Vrijwel niet.

Hij loopt achter de enorme Sarhaan. Vlak voor Eyaz, die al dood lijkt. Die tegelijk met zijn jonge broer is verdronken. De jagers hebben hem niet vermoord, daar zijn ze te wreed voor. Ze hebben hem naar de twee anderen laten gaan.

Vooral niet de regels van het spel vergeten!

Een voor een, ieder op zijn beurt.

Remy loopt, zonder te weten waarom.

'Ik wil niet verder,' zegt hij plotseling.

De neger draait zich om.

'Wil je dat ze je doden?'

'Dood gaan we tóch... Dus wat heeft het dan voor zin om te rennen? Om ze te vermaken? Ik blijf hier en wacht op ze... Ze kunnen barsten!'

Sarhaan, die zich heeft omgedraaid en naar Remy toe is gelopen, gaat naast hem zitten.

'In dat geval zal ik samen met jou wachten.'

Remy fronst verbaasd zijn wenkbrauwen.

'Doe wat je wilt, ouwe jongen. Ik dwing je niet.'

'Dat zou ik ook niet accepteren!'

Eyaz is eveneens gestopt. Hij zit een paar meter bij hen vandaan. Hij houdt zijn handen voor zijn gezicht en maakt van de pauze gebruik om zijn tranen de vrije loop te laten.

'Als jullie doorgaan, vinden jullie misschien de uitgang,' bromt Remy.

'Niet zonder jou!'

'Maar ik kan niet meer... Ik kan niet meer...'

'Nee, je wílt niet meer, dat is heel wat anders.'

Remy schudt zijn hoofd.

'Ze zullen de hele dag achter ons aan zitten, totdat we compleet uitgeput zijn. Dan zullen ze ons neerknallen, als honden. Zoals ze Hamzat hebben omgebracht. Verdomme, ik hoor nog steeds zijn geschreeuw! Ik weiger door te gaan...'

'Ik snap het,' verzekert Sarhaan hem. 'Maar er is een andere oplossing...'

'O ja? Wat dan?'

'Vechten.'

Eyaz tilt zijn hoofd op en veegt zijn ogen af. Alsof hij heeft begrepen wat dat woord betekent.

'Vechten?' herhaalt Remy. 'Waarmee? Zíj hebben paarden, geweren, radio's! Honden! Auto's, ongetwijfeld! En wij, wat hebben wíj? Nou?'

'Haat...'

'Nee, die hebben zíj! Zij hebben zo'n bloedhekel aan ons dat ze ons afmaken. Zij beschouwen ons als inferieure mensen, erger dan dieren!'

'Wij hebben ook overlevingsinstinct. We kunnen strijden. Als we eraan gaan, hebben we in elk geval alles geprobeerd!'

'Ik heb geen kracht meer! Ik heb het gevoel dat er een wals over me heen is gereden!'

'Ik ben ook moe. Maar ik weet dat het ons kan lukken. Als we maar bij elkaar blijven. Kijk...'

Sarhaan heeft een steen opgeraapt, die hij in zijn linker-hand houdt.

'Kijk, dit is een wapen!'

'Dát?' schampert Remy. 'Drijf je soms de spot met me? Wat denk je met dat kiezelsteentje te kunnen doen?'

'Er zijn een heleboel dingen die wapens kunnen worden... Als ik dat kiezelsteentje, zoals jij het noemt, keihard naar je hoofd gooi, zul je zien dat het absoluut een wapen is!'

'Wacht even, wil je zeggen dat je van plan bent hen met stenen te bekogelen? Denk je soms dat je in Palestina bent?! Of ben je kierewiet geworden?'

'Nee, man, ik ben niet gek... Ik zeg dat we moeten vech-ten. Dat we álles moeten proberen. Dat we weerstand moeten bieden. En ons niet als konijnen laten afschieten!'

Weerstand bieden. Remy sluit zijn ogen, terwijl hij met zijn hoofd tegen de ruwe schors van de stevige boom leunt. Hij hoort nog steeds het geschreeuw van Hamzat die ver-drinkt. De schreeuwen en de ondraaglijke beelden die hem tot aan het eind van zijn leven zullen achtervolgen.

Maar zijn leven nadert hoe dan ook zijn einde.

'We moeten niet opgeven. Kom overeind, blanke! We zullen ons niet zonder enig verzet laten doden! Eyaz geeft het niet op, al hebben ze net zijn broer gedood.'

Sarhaan komt overeind en steekt Remy de hand toe. Remy accepteert zijn hulp.

'Nou, wat gaan we doen?' vraagt hij met een zucht.

'We gaan de spelregels veranderen...'

⁎

Een fantastische duik.

Een zweefduik.

Diane is verbaasd, omdat ze nog in leven is. Ze haalt adem, ze kan horen en zien.

Alles normaal.

Of bijna.

Ze is zojuist aan de sterke stroom ontkomen door zich vast te klampen aan een wilgentak en daarna aan een rotsblok. Als ze op de oever is, gaat ze op haar rug liggen om weer op adem te komen.

De kou brandt haar huid.

Levend. Ik leef. Het is niet te geloven...

Ze gaat met haar rug tegen het rotsblok zitten. Dan kijkt ze naar de afdruk in haar vlees. De kogel is blijven steken in haar rechterarm, vlak onder de elleboog. Ze pakt haar tas. Die om haar zere schouder hangt. De inhoud bestaat uit een tasje met EHBO-spullen en de rest van haar bezittingen, verpakt in een waterdichte, plastic hoes. Dat doet ze altijd voor het geval dat het gaat onweren. Briljant idee! Haar ziekelijk vooruitziende blik zal misschien haar leven redden.

Ze trekt haar drijfnatte trui en T-shirt uit, en dan bibbert ze nog meer. Ze trekt een reservetrui en een windjack aan. Pas dan gaat ze haar wond verzorgen. Niet makkelijk, met één hand... Nadat ze de rand om de wond heeft ontsmet, doet ze er een verband omheen.

Verre van aangenaam om te zien.

Niet flauwvallen, niet nu!

Ze heeft haar trouwe Nikon in de strijd verloren. Maar dat is niet meer van belang...

Het ijskoude water heeft de pijn een beetje verdoofd. Maar ze weet dat dat niet lang zal duren.

Ze haalt haar kleine thermosfles tevoorschijn en neemt

een paar slokken warme koffie. Wat eten betreft, is er weinig eetbaars over. Twee mueslirepen. En ook een veldfles met energiedrank. De sandwich die ze voor zichzelf had klaargemaakt bij wijze van lunch, lijkt nu op een spons met hamsmaak!

Haar mobiele telefoon doet helemaal niets meer.

Denk na, meid... Denk na, verdorie!

Zij zijn boven gebleven. Ze hadden niet het lef om naar beneden te springen, de diepte in, en haar tot in de rivier te volgen, die hier op een onstuimige bergstroom lijkt.

Ze heeft dus even rust.

Het heeft geen zin om terug te keren naar de auto: ze zullen ongetwijfeld de banden hebben lek gestoken. Dat zou zij in elk geval wél hebben gedaan, als zij in hun schoenen stond. Of ze hebben een van hen verdekt opgesteld, vlak bij haar auto.

De wagen vergeten. Een andere oplossing vinden.

Ze pakt de kaart, die slecht leesbaar is geworden. Hoe komt ze bij een dorp, een boerderij, een telefoon? Hoe kan ze de beschaafde wereld terugvinden? Hoe kan ze zich uit deze val bevrijden?

Ze probeert niet te klappertanden terwijl ze op de kaart de plek zoekt waar ze zich bevindt.

De rivier is hier, de auto daar... Het is grof geschat, maar dat moet voldoende zijn. Langs de rivier lopen, en dan de helling opklimmen om weer op een pad te komen. Dan zal ze waarschijnlijk een langeafstandswandelpad kunnen volgen, dat haar uiteindelijk naar een gehucht zal voeren. Misschien ontmoet ze mensen die haar kunnen helpen?

Misschien ontmoet ze de moordenaars...

Hier in Frankrijk, in de eenentwintigste eeuw, kan ze

niet zoveel kilometers afleggen zonder een huis, een automobilist, een levende ziel tegen te komen. Onmogelijk...

Ze bestudeert nogmaals de kaart.

Een rimboe... Dat is waar ze zich in bevindt.

12.00 *uur*

'Hebben jullie een fijne dag, vrienden?' vraagt de Lord glimlachend.

Ze stemmen in koor in, blij, opgetogen. Alleen een beetje dronken.

Een safari in de Sologne, *made in France*, met alle verfijning waar dit mooie land bekend om staat!

Ze zijn gestopt voor een korte pauze. Ze genieten van hun lunch, die wordt opgediend door twee knechten vanuit een jeep. Terwijl de paarden een eindje verderop hun dorst lessen en de honden een welverdiend dutje doen.

De Lord rookt zijn sigaret en gluurt naar de enige vrouw van het gezelschap. Een primeur! Gewoonlijk heeft hij alleen maar mannelijke klanten. Behalve toen een echtgenote haar man vergezelde. Ze had alleen maar toegekeken.

Vandaag is de Oostenrijkse bij hen om écht aan de jacht deel te nemen.

Om te doden.

Om haar tere, volmaakt gemanicuurde handjes met mensenbloed te bevlekken.

Ze is trouwens best aantrekkelijk. Blond haar, groene ogen, tussen de vijfendertig en veertig.

Hij verlangt ernaar om haar in actie te zien. Als ze maar niet op het laatste moment afhaakt. Want bij vrouwen kun je alles verwachten! Hij vindt jagen een mannenzaak. Maar zij heeft het vereiste bedrag betaald, dus had hij geen enkele reden om haar niet te laten meedoen. Blijkbaar is ze een aanhanger van de lange jacht, de parforcejacht, waarmee ze zich regelmatig bezighoudt. Trouwens, ze rijdt fantastisch paard.

Hij probeert een gesprek aan te knopen, in het Engels. Hij spreekt geen woord Duits. Maar de schoonheid kan zich vrij goed redden in het Frans. Het klikt tussen hen. Ze zegt dat ze het een bijzondere dag vindt... Hij begint zich haar zonder kleren voor te stellen, en dan krijgt hij een stijve. Vannacht delen ze misschien het bed...

'En als we hen niet vinden vóór het donker wordt?' vraagt ze.

'Dat zou me verbazen!' antwoordt de Lord met zijn eeuwige glimlach. 'Maar als dat gebeurt, hebt u recht op een tweede kans, morgen!'

'Is dat wel eens gebeurd? Dat ze u ontglippen?'

'Nee, ze hebben nog nooit de eerste dag overleefd, mijn beste! Nog nooit...'

.

Het lopen langs de rivier is geen pretje geweest. Diane heeft herhaaldelijk in het ijskoude water door de modder moeten baggeren. Ten slotte heeft ze een smal pad gevonden dat het haar mogelijk maakte om de helling op te klimmen. Ze komt moeizaam vooruit, met haar doorweekte spijkerbroek, die koud tegen haar benen plakt. Met voeten die bijna bevriezen in haar schoenen. Met haar arm die steeds meer pijn doet.

Met toenemende angst.

In haar eerstehulptasje heeft ze pijnstillers gevonden, waarvan ze er twee heeft ingenomen. Maar om de pijn van een schotwond te verzachten heb je iets sterkers nodig!

Als ze eindelijk aan het eind van de klim is gekomen, gunt ze zichzelf even rust. In de dreigende lucht is geen zweempje blauw meer te zien. Grijs, donkergrijs. De wind neemt toe en wordt steeds kouder.

Niet te lang blijven zitten, anders loop je gevaar onderkoeld te raken.

Jemig, als mijn baas dit hoort... Het is in zijn belang me salarisverhoging te geven en minstens driehonderd vrije dagen!

Ze bevindt zich weer op vlak terrein en vlucht verder. Even blijft ze de rivier volgen. Ze verlangt ernaar om uit de buurt van de rivier te komen, om het oorverdovende lawaai niet meer te horen. Om weer te genieten van de stilte, waardoor ze makkelijk in de gaten kan houden of er iemand nadert.

Tien meter voor haar rent een eekhoorn naar een boom, zet er zijn scherpe klauwtjes in en klimt met een ongelooflijke snelheid naar boven. Eenmaal in veiligheid, neemt hij de tijd om naar de indringer te kijken. Hij is schattig. Tot voor kort zou ze haar Nikon hebben gepakt om hem te vereeuwigen. Maar nu is ze geen gepassioneerde fotograaf meer. Alleen maar een doelwit. Een lastige getuige, die moet worden doodgeschoten, onder een meter grond begraven of op de bodem van een diepe put gegooid.

Een doelwit, anders niet.

Ze huivert. Ze staat zichzelf twee of drie tranen toe, een moment van zelfmedelijden om haar lot.

Die schoften zullen heus moeten boeten! Ze zullen een

tijd achter de tralies zitten. Reken maar dat zij hen zwart zal maken tijdens het proces in de rechtszaal.

* * *

Hij opent zijn ogen een klein beetje. Zijn blik is wazig, zijn hele lichaam doet zeer. Zo erg dat de pijn onwerkelijk wordt...

Hij probeert te bewegen. Tevergeefs.

De kou vreet voortdurend aan hem. IJskoude beten, gloeiende beten.

Hij doet zijn mond open en concentreert zich. Uit zijn keel komt slechts een belachelijk gekerm. Hij kan het zelf nog maar net horen.

Hij wilde om hulp roepen! Hij doet nóg een poging. Dan spuwt hij iets vloeibaars uit. Dat moet bloed zijn!

Het lukt hem om zijn linkerarm te bewegen. Hij legt zijn hand op zijn romp. Elke ademhaling is een zware beproeving.

Hij kan het zich herinneren.

De slagen, de beledigingen.

En dan de totale duisternis. De vergetelheid.

Hij kan het zich herinneren.

Julie, de mooie Julie. Hij verlangde zo naar haar. Ze is zo'n mooie herinnering...

Hopelijk komt er iemand voorbij en hoort hij mijn hulpgeroep.

Maar wie zou hier rondhangen, bij deze oude put?

Wie zou nou zulke scherpe oren hebben dat hij mijn gesmoorde gereutel hoort?

Wie, behalve de dood, zou Sylvain kunnen komen bevrijden?

7

Als kind droomde Diane ervan om onderwijzeres te worden. Zoals zoveel meisjes. Schooljuffrouw... De juf die door haar vrouwelijke leerlingen wordt bewonderd, op wie ze willen lijken.

Niet erg origineel, eigenlijk.

Maar wie vraagt van een kind dat hij of zij origineel is? In het algemeen wil men veel meer dat ze zijn zoals de anderen. Dat ze zich aansluiten bij de rest en opgaan in de massa.

Dat ze normaal zijn, dus.

Of beter dan hun kameraadjes.

Met talent voor wiskunde, Frans of vioolspelen. Zo mogelijk voor alle drie.

Dat ze de trots van hun ouders worden.

Een paar jaar later wist Diane niet meer welke weg ze moest kiezen. Toch stelden de volwassenen haar constant de beslissende vraag: wat wil je later worden?

Ze had al moeite om te weten wat ze de volgende minuut wilde doen...

Als tiener stelde ze een onderzoek in naar zichzelf. En naar de mensen om haar heen. Onderzoeken die niets opmerkelijks opleverden. Behalve de conclusie, pessimistisch en realistisch, dat het leven een aaneenschakeling van moeilijkheden is, die een mens moet overwinnen.

Dat de vreugde kortstondig is, de pijn oneindig.

Dat geluk een kwestie van seconden is, het leed een kwestie van eeuwigheid.

In haar dagboek, dat zorgvuldig verborgen werd gehouden, schreef ze op een dag: *Pijn heeft geen grenzen, in tegenstelling tot geluk.*

Dat leek haar een uitstekende samenvatting, zoals het rapport van de lijkschouwer na een autopsie.

Maar een paar uur later pakte ze haar pen weer en voegde eraan toe: *Ik heb me vergist. Pijn en geluk hebben alle twee dezelfde grens: de dood.*

Ze heeft nooit meer iets in dat dagboek geschreven. Ook niet in een ander dagboek. Alsof ze de essentiële, cruciale vraag van alle kanten had bekeken.

Aangezien ze steeds slechter in haar vel zat, leerde ze de eenzaamheid te koesteren.

Noodgedwongen.

Want de anderen leken niet van haar te houden, ze leken niet met haar te willen omgaan. Ze voelde zich transparant en bespied tegelijk.

Een uiterst warrige mengeling van merkwaardige indrukken...

Ze vond zichzelf onhandig, lelijk, uit de toon vallend.

Afgewezen.

Telkens wanneer iemand naar haar keek, had ze het gevoel dat het met minachting of met spot gepaard ging.

Het kón niet anders.

Waarom?

Geen duidelijke reden.

Chronische paranoia?

Nee. Moeite om zich aan te passen, om zich met haar medemensen te vereenzelvigen.

Medemensen?

Ze kwamen niet naar haar toe, dat maakte haar ongelukkig.

En als ze wel naar haar toe kwamen, maakte het haar bang.

En deed het haar pijn.

Geduldig bouwde ze schuilplaatsen, behaaglijke cocons.

Het isolement waarin ze eindelijk kon bestaan zonder vrees om te worden beoordeeld, ja zelfs veroordeeld. De boeken, de films waarin ze zichzelf als heldin beschouwde. Of zelfs als de held.

Want ze zou het fijn hebben gevonden om een man te zijn.

Ja, daaraan zou ze de voorkeur hebben gegeven. Toch heeft Diane nooit haar vrouwelijkheid ontkend.

Maar een vent zijn is beter, daar blijft ze van overtuigd. Dat is een van haar absolute zekerheden.

Jammer, ze zal nooit kunnen nagaan of ze al dan niet gelijk heeft!

Toen ze een jonge vrouw was geworden, vervolgde ze haar zoektocht naar zichzelf. Middelmatige studie, onbeduidende baantjes.

En nog steeds trok het alleen-zijn haar aan.

De geweldige schuilplaats die een verlaten strand vormt, of een stad midden in de nacht, of de top van een berg of het binnenste van een bos.

Die magische momenten van stille beschouwing.

Ver van de anderen.

Beschouwen, fotograferen: de knoop was doorgehakt.

Alsof ze een filter nodig had om de wereld te kunnen verdragen. Om hem door een glazen wand te zien.

Om hem mooier te maken, te idealiseren, te vormen naar haar smaak.

Hem hulde te brengen.

Alleen het beste, het mooiste ervan te behouden. Het geweld, de dagelijkse wreedheid, de lelijkheid uit te wissen.

Altijd achter de camera staan, nooit ervoor.

Altijd in de coulissen, nooit op het podium.

Fotograferen wat haar omringt, zonder ooit zelf in beeld te komen.

Als onzichtbare getuige vond ze haar roeping.

Sportief, geduldig, kunstzinnig, fantasierijk. Ze bezat de vereiste kwaliteiten.

Toen is ze begonnen zich voorzichtig voor anderen te openen, uit haar isolement te komen, een paar invallen bij de andere aardbewoners te wagen. Toch bleef ze op haar hoede.

Wantrouwend, bedachtzaam.

Ze merkte dat mannen niet ongevoelig waren voor haar charme of charmes. Maar er was geen enkele gegadigde die aan haar verwachtingen voldeed. Alleen maar een paar luchtstromen, warme of koude.

Toch moest ze, na een baan te hebben gevonden, een leven eromheen verzinnen.

De liefde vinden. Zoals in boeken en films.

De prins op het witte paard vinden.

Hij die het recht zou hebben om haar levensruimte, haar privéleven binnen te dringen.

Hij in wiens armen ze zich eindelijk mooi zou voelen.

Hij die het recht zou hebben om haar te fotograferen.

Op een onvergetelijke dag in juni heeft ze hem ontmoet. Onvergetelijk, ja.

En toen is ze uit haar cocon gekropen. Ze sloeg haar vleugels helemaal uit en werd een stralende, gelukkige vrouw. Een vrouw die niet meer bang was om te leven.

Na vijf jaar dumpte hij haar. Zonder dat ze begreep waarom, en ze begrijpt het nog steeds niet.

De grond opende zich onder haar voeten, ze viel in het oneindige.

Ze werd weer lelijk, onbeholpen.

Transparant.

Maar vandaag zou ze écht transparant willen zijn.

Ze wilde dood toen hij er als een dief vandoor ging. Ze wilde haar polsen doorsnijden, zich van een brug naar beneden storten, zich ophangen, alle pillen van een apotheek innemen. Dat was trouwens het enige verlangen dat ze nog had...

Maar vandaag wil ze leven! Overleven!

Tenzij...

Ze is verplicht de vraag aan zichzelf te stellen. Verplicht om zich af te vragen of ze tot het eind zal gaan. Of ze de strijd niet eerder zal opgeven, of ze niet langzamer zal lopen, of ze echt haar uiterste best zal doen om aan haar achtervolgers te ontsnappen.

Verplicht om zich af te vragen of de leegte haar niet méér aantrekt...

8

Remy's hart gaat als een razende tekeer.

Hij heeft nu een andere rol. In plaats van prooi is hij roofdier geworden.

Fraaie promotie.

Hij zou vooral onzichtbaar willen worden, minuscuul.

Een virus, een microbe, een dodelijke bacterie. In staat om ze allemaal te besmetten, ze ongeneeslijk ziek te maken en langzaam te vernietigen. In staat om hun organen te verzwakken. Om hun bloed te vergiftigen, om ze gek te maken.

'Dat is de vent die Hamzat heeft gedood,' fluistert Sarhaan.

'Ik weet het niet, ze waren ver weg...'

'Nou, ik ben er zeker van.'

Eyaz knikt instemmend. Dan concentreert hij zich weer op het doelwit. In zijn ogen schuilt een moordenaarsblik.

Anatoli Balakirev heeft zich even van de groep verwijderd. Hij kijkt om zich heen, op zoek naar een rustig plekje om dringend zijn behoefte te doen.

De drie vluchtelingen zijn erin geslaagd om hun achtervolgers onopvallend te naderen. Ze vermoeden dat de jagers gaan eten en ze besluiten daar gebruik van te maken en alles op alles te zetten.

De plek is ideaal. Ze kunnen verdwijnen in het zeer dichte struikgewas, dat hun vlucht zal dekken. Een plek waar de paarden zich niet in zouden kunnen wagen.

Sarhaan en Eyaz bereiden hun aanval voor. Hun wapens kunnen ridicuul lijken. Ieder van hen heeft een kiezelsteen met de afmeting van een kippenei. De steen is gewikkeld in een oude lap, die ze onderweg aan een boomtak zagen hangen.

Ze concentreren zich op hun doelwit. Remy geeft het startsein.

De Rus wordt op zijn slaap geraakt en daarna op zijn voorhoofd. Hij slaakt een jammerkreetje, dat de rest van de groep niet hoort. Hij wankelt even voordat hij languit op de grond valt. Eyaz buigt zich al over hem heen en doorzoekt zijn zakken. Zakmes, portefeuille, pakje sigaretten.

En het belangrijkste: zijn automatische Sphinx met vijf kogels in de patroonhouder.

Een van de honden begint plotseling te blaffen. De aanvallers verdwijnen spoorslags. Maar Eyaz neemt de tijd om op het ontzielde lichaam aan zijn voeten te spugen. Hij zou graag een kogel tussen de ogen van de Rus schieten, maar het heeft geen zin de kostbare munitie te verspillen. De Rus is al onschadelijk gemaakt. Een flinke schop midden in zijn gezicht zal voldoende zijn om het werk af te maken. Een tweede voor het geval dat... Zijn nek breken? Zijn keel afsnijden met het zakmes? Makkelijker gezegd dan gedaan... Hij laat het idee varen, met als voorwendsel dat er geen tijd voor is. Dan voegt hij zich bij zijn twee metgezellen.

Remy juicht: 'We hebben hem gepakt, die vuile schoft! We hebben hem gepakt... Eentje minder!'

Eyaz glimlacht. Je bent gewroken, broer.

.

Haar voeten en benen doen pijn. Maar vooral haar arm. Ze heeft het koud, ondanks haar stevige tempo tijdens haar gedwongen pelgrimstocht over de wegen van Lozère.

In haar vermoeide ogen heeft het landschap niets groots en verhevens meer. Het landschap is vijandig geworden, punt uit.

Diane is niemand tegengekomen.

Toch blijft ze haar ene voet voor de andere zetten, als een robot.

Ze wil niet sterven, ze wil niet in de klauwen van haar achtervolgers vallen. Zodra haar tempo daalt, denkt ze aan wat ze haar zouden kunnen aandoen. Die zwijnen zijn ongetwijfeld tot allerlei gruwelijkheden in staat. Haar afranselen, haar levend begraven, haar van een klif naar beneden gooien. En waarom zouden ze zich niet een beetje met haar vermaken alvorens haar te doden?

Bij de gedachte alleen al begint ze sneller te lopen.

Ze heeft een mueslireep gegeten en de veldfles met energiedrank tot op de laatste druppel leeggedronken. Daarna heeft ze hem gevuld met water uit een bron.

Als ze de nacht buiten moet doorbrengen, zal ze doodgaan van de kou. Ze heeft bloed verloren, ze is verzwakt. Ze zou het niet overleven. Dat is zeker.

Dus, geen sprake van dat je je in een hoekje verstopt. Opschieten.

Ze zou vóór de schemering in het dichtstbijzijnde gehucht arriveren.

Vanavond zal ze gered zijn. Vanavond zal zij in het ziekenhuis slapen, en zullen haar achtervolgers in de cel overnachten.

Onvermoeibaar herhaalt ze dat refrein, om zichzelf een intramusculaire injectie van kracht te geven.

En ze denkt aan hem.

Hoe dan ook, ze is nooit opgehouden aan hem te denken.

* *
*

De Lord glimlacht niet meer.

Een van zijn klanten verliezen stond niet op zijn programma.

Hij had toch iedereen verboden de groep te verlaten? Je geweer laten stelen, wat een oen!

Gelukkig is die grote stommeling van een Balakirev niet dood. Maar wel behoorlijk toegetakeld. De knechten van de Lord hebben hem in de jeep gelegd, om hem vervolgens naar de eerstehulpdienst te brengen. Zijn toestand zal officieel het gevolg zijn van een ongeluk bij het jagen. Hij is van zijn paard gevallen, zijn hoofd is hard op een rotsblok terechtgekomen, zijn voet is in de stijgbeugel blijven hangen... Tegen de tijd dat de autoriteiten langskomen om de zaak te controleren, zal het terrein zijn schoongemaakt.

De drie vluchtelingen krijgen hun loon nog wel! Als ze denken dat ze hem nog lang kunnen tarten...!

Hij richt zich tot zijn gasten en spreekt hen op ietwat theatrale toon toe. *We gaan die klootzakken pakken. We gaan ze vernietigen. Daarom zijn jullie toch hier? Daarvoor hebben jullie toch veel geld op tafel gelegd?*

Uiteindelijk geeft het betreurenswaardige incident iets extra's aan 'hun uitstapje'. De jagers lijken niet ontstemd over wat er is gebeurd. Integendeel, de drijfjacht wordt gevaarlijk, de prooi verzet zich. Hij is gewapend.

Dat windt hen op.

Het is geen simpele slachting meer. Het wordt een échte jacht, waarbij ze het gevoel hebben hun leven in gevaar te brengen.

De Lord klimt op zijn paard, zijn metgezellen gaan ook weer in het zadel zitten.

Hij heeft zich niet vergist toen hij zijn prooien uitkoos! Hij wist dat die kerels hem heel wat te stellen zouden geven. Dat ze er lang plezier van zouden hebben.

Dat ze zijn op sensatie beluste, schatrijke gasten absoluut tevreden zouden stellen.

Hij zou bijna zin hebben om de stoutmoedigheid van zijn prooien te belonen door hen in leven te laten!

Bijna.

Delalande is geconcentreerd. Zal de prooi die hij heeft uitgekozen de volgende zijn die wordt omgebracht? Hij heeft geen haast. Hij weet dat het beste moment bij de jacht het wachten is, het naderen, de begeerte. Het moment waarop hij alles zou geven om zijn driften te bevredigen.

Het unieke moment dat voorafgaat aan de moord.

Het moment waarvoor hij een fortuin betaalt aan de ceremoniemeester. En waarvoor hij bereid zou zijn nog veel meer te betalen.

Waarvoor hij bereid zou zijn alles te geven wat hij heeft. Zijn geld, zijn ziel.

Zoals een drugsverslaafde alles wat hij bezit aan zijn dealer zou geven voor één simpele dosis.

13.00 *uur*

De jagers nemen even rust. Tien minuten, niet meer.

In een diepe stilte die alleen wordt verstoord door het gerommel van het onweer in de Cevense bergen, eten ze een paar happen brood en een paar plakken worst. En ze drinken een paar slokken wijn.

Om de accu weer op te laden.

'Die trut zal ons laten arresteren,' bromt Roland Margon plotseling. 'Verdomme, als ik haar in handen krijg...'

Severin Granet kijkt hem ontsteld aan.

'Wat? Heb je er iets op aan te merken?'

'Luister, ik ben er niet zeker van dat...'

'Waarvan?' onderbreekt de apotheker. 'Ga je gang, we luisteren!'

Severin aarzelt een paar seconden.

'Ik ben er niet zeker van of we moeten doorgaan.'

'Wat wil je dán? Je trieste leven in de bajes eindigen? Alles wat je hebt verliezen?'

'Maar...'

'Maar, maar, maar! Maar wát?!' schreeuwt Margon. 'Heb jij misschien een andere oplossing?'

'Rustig, jongens,' smeekt Hugues.

'Hou je bek, waard!' snauwt Roland.

'Praat niet op zo'n toon tegen mij!'

Margon gaat staan. Indrukwekkend met zijn bijna twee meter.

'Ik praat tegen je zoals ik wil! We hebben gezegd dat we dat meisje uit de weg zouden ruimen, dus doen we dat ook! Is dat duidelijk?'

'Denk je misschien dat jíj het bevel voert?'

Margon glimlacht.

'Dat denk ik, ja... Omdat jullie, stuk voor stuk, niet in staat zijn de juiste beslissing te nemen! Als ik er niet was, zouden jullie al op het politiebureau zijn en jankend een bekentenis afleggen!'

Hij gaat weer zitten. Hij is er zeker van dat hij zijn gezag heeft gevestigd. Maar Gilles heeft iets te zeggen.

'Als jij er niet was, hadden we die andere klootzak misschien niet koud gemaakt! Jíj wilde dat we hem gingen afzeiken. Jíj hebt Julies foto in zijn zak gevonden!'

'Nou en? Gelukkig maar dat ik die foto heb gevonden! Anders zou die stomme klootzak in herhaling zijn gevallen en dan zou hij opnieuw een meisje hebben gedood! Je zusje misschien! Je weet maar nooit, tegenwoordig!'

'We zullen er nooit zeker van zijn dat hij de moordenaar was,' benadrukt Hugues. 'Hij had niet het uiterlijk van een crimineel...'

De apotheker rolt met zijn ogen.

'Na het misdrijf zijn politieagenten hem gaan verhoren, maar ze hebben hem niet gearresteerd,' vervolgt de waard.

'Incompetente figuren!' bevestigt Roland.

'Neemt niet weg dat het allemaal jouw schuld is!' protesteert Gilles verontwaardigd. 'En je hoeft niet te schieten op de fotografe! Dat hadden we niet afgesproken! We zouden haar alleen aanhouden en met haar praten!'

'Je begint me de keel uit te hangen, kleine!' waarschuwt Margon.

Maar de jongeman blijft doof voor waarschuwingen. Hij blijft de leider van de meute prikkelen.

'Door jou hebben we een vent gedood en achtervolgen we nu een zielig meisje! Door jou zitten we tot onze nek in de stront!'

'Dat uitgerekend jíj me de les leest!' antwoordt Margon op ijskoude toon. 'Ík ben niet degene die op de dag van de moord over mijn dagindeling heeft gelogen tegen de smerissen... Nietwaar?'

Gilles zwijgt. Dan richt de apotheker zich tot de vader van Gilles.

'En ík ben niet degene die mijn zoon heeft gedekt door de politie leugens te vertellen...'

'Je weet heel goed waarom ik dat heb gedaan!' zegt Severin boos. 'Ik heb het je uitgelegd!'

'Ja... Neemt niet weg dat jouw ontaarde zoon wel degelijk in de buurt rondhing op de dag waarop Julie is gewurgd... Ook al heb je, om dat te verhullen, een aardig bedrag aan de oude Martin betaald, als zwijggeld!'

Gilles gaat staan, met gebalde vuisten.

'Ik heb haar niet vermoord!'

'Echt waar?' glimlacht de apotheker.

'Hij is het niet!' zegt Severin met klem.

'Waarom dan die valse getuigenis?'

Severin wacht een paar tellen voor hij antwoord geeft. De waard spert zijn ogen wijd open.

'Je kent de politieagenten. Als ze hadden geweten dat Gilles daar ook was die dag, zouden ze hem zijn gaan verdenken en... En het was slechts een ongelukkige samenloop van omstandigheden!'

'Dat is duidelijk!' hoont Margon, trots op zichzelf.

Gilles, die nog steeds staat en nog steeds zijn vuisten heeft gebald, gaat opnieuw in de aanval.

'En jij? Het is voor niemand een geheim dat je een aantal keren geprobeerd hebt met Julie te slapen, maar dat zij niets van je wilde weten!'

'Omdat het jou gelukt is haar te krijgen, misschien?' schampert Roland. 'Als jij een nummertje maakt, is dat ongetwijfeld met de geiten van je vader!'

De waard kan een glimlach niet onderdrukken. De jongeman stort zich op de apotheker, zijn vader grijpt hem bij de arm en houdt hem ternauwernood tegen.

'Zijn jullie gek geworden? We komen er niet uit door te vechten.'

'Je vader heeft gelijk!' stemt Roland in met een sarcastische grijns. 'Nu hij een keertje iets verstandigs zegt, moet je naar hem luisteren!'

Severin werpt een hatelijke blik in de richting van degene van wie hij dacht dat het zijn vriend was.

'En ik was niet de enige die om Julie heen draaide!'

'Ja, maar jij zag haar bijna elke dag!' zegt Severin. 'Wanneer ze de apotheek kwam schoonmaken.'

'En Hugues dan? Mocht je het vergeten zijn, ze werkte ook in zijn herberg. Waarom verdenken jullie hém dan niet?'

De waard verslikt zich in zijn wijn.

'Je bent niet goed bij je hoofd!' roept hij uit. 'Ik heb dat meisje nooit aangeraakt!'

'Dat betwijfel ik!' zegt de apotheker spottend. 'Ik snap niet hoe je dat zou hebben gekund...'

Hugues houdt een mes in zijn rechterhand. Plotseling

omklemt hij het, vol verlangen om het in de keel van de boosaardige apotheker te steken.

'Ik kan jullie vertellen, jongens,' voegt Roland er op vertrouwelijke toon aan toe, 'dat ik met de kleine Julie naar bed ben geweest! En meer dan één keer! Wanneer ik maar wilde... Dus waarom zou ik haar dan willen wurgen?'

Ze zijn even stomverbaasd.

'Luister goed: we zullen die fotografe pakken en haar het zwijgen opleggen. Ik heb geen keus, en jullie ook niet. De eerste die de moed laat zakken, krijgt met míj te maken.'

'Je vraagt ons een moord te begaan!' jammert Severin.

'Een of twee, wat maakt het uit?' zegt de apotheker koeltjes. 'We doen het en dan vergeten we alles. Als een boze droom... Wanneer we wakker worden, wissen we hem...'

'We zullen het nooit vergeten,' bromt de waard hoofdschuddend.

Roland grijpt hem plotseling bij de kraag en tilt hem op totdat zijn voeten de grond niet meer raken.

'Als je hier ooit met iemand, wie dan ook, over praat, zal het je berouwen, dat verzeker ik je...'

'Laat me los, verdomme!'

'Ik zou er genoegen in scheppen om aan iedereen al je geheimen te onthullen...'

Hij zet de waard weer neer.

'En ik weet veel dingen van je die je in verlegenheid zullen brengen, als je snapt wat ik bedoel. Wil je misschien dat ik je eraan herinner wat er twee jaar geleden is gebeurd? Moet ik je geheugen opfrissen? Het was op een maandagavond, ik weet het nog heel goed!'

'Vuile schoft!'

'Dat soort dingen weet ik trouwens over jullie allemaal,' zegt Margon. Hij verzamelt zijn spullen. 'Jullie moeten je grote mond houden en me volgen. Er is een dame die op ons wacht...'

* **

'Ik kan niet geloven dat we die rotzak hebben gepakt!' jubelt Remy. 'Denken jullie dat hij dood is?'

Sarhaan vraagt het aan Eyaz.

'Nee,' antwoordt Eyaz.

'Verdomme! Ik wil zo graag dat hij dood is!' roept Remy woedend uit.

'We hebben in elk geval Hamzat gewroken,' concludeert Sarhaan.

Eyaz knikt. Hij draagt de oorlogsbuit aan zijn broekriem. Het pistool, met een patroonhouder waar nog maar vijf kogels van groot kaliber in zitten.

Ze staan zichzelf een paar minuten rust toe. Het is belangrijk om niet uitgeput te raken. Dorst en honger knagen aan hen. Ze spreken al een tijd hun laatste reserves aan.

Geblaf in de verte spoort hen aan om weer in beweging te komen.

'Ik heb zin in een biertje!' bromt Remy. 'Een lekker koud biertje... En een enorme sandwich met ham! Als ik hier levend uit kom, trakteer ik jullie op een heerlijk etentje, vrienden!'

'Waar wil je dat van betalen?' vraagt Sarhaan spottend.

'Geen idee, maar daar kom ik wel uit.'

'Waarom leef je op straat?'

'Omdat ik me idioot heb gedragen... Ik ben naar bed geweest met de vrouw van mijn baas. Hij heeft me de laan

uitgestuurd, en mijn vrouw heeft me de deur uitgezet...
Geen werk meer, geen huis meer...'

Sarhaan kijkt hem glimlachend aan.

'Ja, je hebt je inderdaad idioot gedragen! Was ze wel knap?'

'Wie?'

'De vrouw van je baas.'

Remy haalt zijn schouders op.

'Och, niet onaantrekkelijk.'

'Niet onaantrekkelijk?'

Sarhaan begint hard te lachen. Hij vertaalt het voor Eyaz, die op zijn beurt schaterlacht. Ze staan onder zoveel druk om te ontsnappen dat ze overal om zouden lachen...

'Je bent een leuke vent!' zegt hij tegen Remy.

'Jij ook. Ben je getrouwd?'

'Ja. Ik heb een vrouw in mijn vaderland.'

'Kinderen?'

'Drie. Twee jongens en een meisje...'

Remy is verbaasd. Hij lijkt nog zo jong... Hoe oud zou hij zijn? Een jaar of dertig. En dan al drie kinderen?

'Je móét ze terugzien. Je moet ze absoluut terugzien! Ben je al lang in Frankrijk?'

'Zes jaar.'

Remy fronst zijn wenkbrauwen. Het is nóg moeilijker om dan drie kinderen te hebben! Of misschien gaat hij af en toe terug naar Afrika...

'Je spreekt onze taal goed!'

'Frans is de officiële taal in Mali!' vertelt Sarhaan met een spotlach.

'Ja, dat weet ik heus wel. Maar ik vind dat je erg goed Frans spreekt... Heb je lang op school gezeten?'

'Nee!' antwoordt de neger. 'Niet zo lang... Maar ik heb veel gelezen.'

'Aha... Ik heb nooit van lezen gehouden... Het gaat me altijd vervelen. Oké, jongens, laten we nu eens nadenken over een plan. We hebben een wapen, we hebben vijf kogels... We hebben die klotespelregels gewijzigd! Wat gaan we doen?'

*_**

Het begint te regenen. Een lichte, zachte regen.

Sylvain kan het niet weten, opgesloten in zijn vochtige, cirkelvormige grafkelder. Hij zit tussen twee werelden in. Tussen het licht en de duisternis.

Hij klampt zich vast aan een paar flarden leven, een paar hartkloppingen.

En dat alles vanwege Julie.

Trouwens, hij ziet haar boven hem zweven in haar mooie blauwe jurk. Ze is altijd dol geweest op de kleur blauw, die heel goed bij haar ogen past.

Ze kijkt hem strak aan.

Hij strekt zijn hand uit, maar het lukt hem niet haar aan te raken.

Ze doet geen enkele poging om zich bij hem te voegen, ze volstaat ermee hem met haar ogen van licht te verslinden.

9

Het is zachter gaan regenen. Af en toe vallen er nog een paar druppels. Maar de mannen weten heel goed dat het nog niet gedaan is met het onweer. Dat dit niet hun laatste gedwongen douche van de dag is.

Deze vervloekte dag.

'Ik denk dat we ons voor niets inspannen,' verzucht Severin plotseling. 'Ik denk dat ze is verdronken in de rivier!'

'Dat denk je,' antwoordt Roland Margon. 'Maar zeker weten doe je het niet, hè?'

'Hoe zou ik er nou zeker van kunnen zijn?'

'Ik zeg dat ze er heelhuids van af is gekomen! En ik zeg dat als we haar niet te pakken krijgen, de politie ons vanavond thuis zal opwachten om ons in te rekenen!'

'Het zal ons nooit lukken om haar terug te vinden, zelfs niet als ze níét verdronken is,' komt Hugues tussenbeide.

Roland elektrocuteert hem met één enkele blik. De donkere moordenaarsblik.

'Ik ben er zeker van dat ik haar heb geraakt toen ik schoot. Ze is gewond, en doodop. We zúllen haar te pakken krijgen.'

Op dat moment zien ze een bekende gestalte naderen. Marcel, een oude dorpsgenoot, met een gebroken geweer over zijn schouder. Hij loopt nog behoorlijk snel, ook al is hij hoogbejaard. Als africhter van bloedhonden is hij gewend uren te lopen, in gezelschap van zijn trouwe speurneuzen. Ze volgen het spoor van gewond wild dat plotseling in de natuur is verdwenen. Marcel geeft hun een knikje, terwijl Katia vrolijk naar hem toe rent. Handen schudden, koetjes en kalfjes. De regen, het onweer, de laatste wildezwijnenjacht, het laatste bloedspoor, waardoor ze een hert dat zieltogend in het bos lag hebben kunnen vinden en afmaken.

Marcel is trots op zichzelf.

Margon wordt ongeduldig. Hij verfoeit het om zo tijd te verliezen. Maar ze moeten de schijn ophouden.

Hij vraagt kalmpjes aan de oude man: 'Bent u vandaag iemand tegengekomen?'

'Niemand... Alleen een meisje.'

'Een meisje?' herhaalt Severin Granet angstig.

'Ja, tien minuten geleden. Wat verderop. Ik zat en zij kwam aanlopen over het pad...'

'Hebt u met haar gepraat?' vraagt Margon zo nonchalant mogelijk.

'Nee! Toen ze me zag, maakte ze zich uit de voeten!' De eerbiedwaardige grijsaard lacht. 'Ik weet het niet, ik heb haar bang gemaakt! Ze ging er als een haas vandoor!'

Hij spuwt zijn pruimtabak uit op de grond. Gilles vraagt zich af waarom de oude man nog steeds niet is overgestapt op sigaretten. Dat is toch veel praktischer.

'Het leek of er ergens brand was!' voegt de oude man eraan toe.

'Vast en zeker!' antwoordt de apotheker. 'Kom, mannen, we lopen verder!'

'Gaan jullie niet naar huis?' vraagt Marcel verbaasd. 'Gezien het onweer...'

'We gaan straks terug,' stelt Severin hem gerust. 'Maar we willen niet met lege handen thuiskomen.'

Ze nemen afscheid van de grijsaard en lopen door.

Margon snauwt tegen Severin: 'Ze is verdronken, zei je? Kennelijk is ze net zomin verdronken als jij of ik!'

'Ja,' bromt Granet. 'Gelukkig heeft ze niet met Marcel gepraat!'

'Ze rende zo hard weg dat ze moet hebben geloofd dat hij een van ons was! Of ze heeft haar bril vergeten!'

Hij glimlacht.

Maar hij is de enige die dat doet.

'Hoe dan ook, ze is vóór ons... Ze heeft een kwartier voorsprong, meer niet. We krijgen haar wel te pakken.'

Hugues mompelt zonder dat iemand het hoort: 'Help haar, Heer. Help haar, alstublieft... Help ons...'

* **

'Je idee is niet slecht,' geeft Sarhaan toe.

'Het is uitstekend, zul je bedoelen!' protesteert Remy.

De neger blijft voorzichtig. Hij vertaalt het plan van de Fransman voor Eyaz, die de tijd neemt om over het voorstel na te denken. Ten slotte lijkt ook hij niet overtuigd.

'Ik denk dat die gek dat ook heeft voorzien,' zegt de Malinees.

'Nee!' verzekert Remy hem. 'Nee! Hij verwacht dat we rechtuit rennen, zonder te stoppen, zonder na te denken. Totdat hij ons inhaalt en ons neerschiet. Maar ik vind dat we rechtsomkeert moeten maken en moeten terugkeren naar zijn klotekasteel! We gaan naar binnen, we bellen de politie, we pakken ieder een geweer en gaan ze dan opwachten! Of we jatten de sleutels van een auto en de sleutel van de toegangspoort. Dan smeren we 'm.'

Ondanks de vermoeidheid is hij erg opgewonden. Hij verzint listen, waarvan de ene nog fantastischer is dan de andere. Hij begint ervan te dromen dat ze er eervol uit zullen komen.

Dat ze helden zullen worden, die het uitschot van de aristocratie een verpletterende nederlaag hebben toegebracht. Dat ze voorpaginanieuws zullen zijn, de bewondering van de massa zullen opwekken en een medaille voor hun moed zullen ontvangen.

Of nog meer.

Het recht om waardig te leven.

'Kalm aan, vriend,' antwoordt Sarhaan... 'Er is vast iemand in dat huis! Ik zeg je dat die gek alles heeft voorzien...'

'Vergeet niet dat we een pistool hebben!'

'Ja, maar er kunnen gewapende kerels zijn... En we weten niet hoe we dat wapen moeten hanteren!'

'Eyaz weet dat wel. Nietwaar, Eyaz? *You know*... eh... vertaal, Sarhaan!'

De Malinees stelt de vraag aan de Tsjetsjeen, die zijn schouders ophaalt bij wijze van antwoord. In het Engels legt hij uit dat het helemaal niet zo moeilijk is om een pistool te gebruiken. De trekker overhalen kan iedereen, denkt hij.

'Oké,' zegt Remy vol ongeduld. 'Gaan we?'

Sarhaan aarzelt nog. Hij blijft voorzichtig.

'Er is nóg een probleem,' zegt hij ten slotte.

'Wat... Wat dan?'

'We moeten de weg naar het kasteel zien terug te vinden... Niet gemakkelijk!'

'Dat lukt ons vast en zeker. Ik voel het!'

Sarhaan kijkt op zijn horloge. Hij heeft het gevoel dat ze al dagenlang op de vlucht zijn voor de meute.

Het is normaal, hij vlucht al zo lang.

Ellende, werkloosheid, ziekte. Smerissen en charters.

Zijn leven bestaat alleen maar daaruit.

Maar dit zou wel eens de laatste keer kunnen zijn dat hij vlucht.

Hij sluit zich aan bij Remy en Eyaz.

Gelukkig zijn ze met z'n drieën. Het zou beter zijn geweest als ze met z'n vieren waren.

Hij denkt aan Hamzat. Hij denkt voortdurend aan hem.

Is dat omdat hij aan hem gehecht was? Is het empathie?

Of alleen maar uit angst om te eindigen zoals hij?

'Is Tsjetsjenië mooi?' vraagt Remy plotseling. 'Eh... *It's nice, your country?*'

'Oorlog,' antwoordt Eyaz simpelweg. 'Bommen, Russische soldaten...'

Natuurlijk.

Remy, die echt behoefte heeft om te praten, voegt eraan toe: 'En hoe is Mali?'

'Arm,' vat Sarhaan kort samen.

'Heb je geen zin om ernaar terug te keren?'

Sarhaan grijnst.

'Het lijkt wel of de minister van Binnenlandse Zaken aan het woord is.'

'Nee, dat bedoel ik niet!' zegt Remy boos.

'Dat weet ik, ik maak een grapje! Ja, natuurlijk heb ik zin om naar Mali terug te keren. Als ik voldoende geld heb om mijn gezin fatsoenlijk te onderhouden.'

'Waar leven ze nu van? Van het geld dat jij hun toestuurt?'

'Inderdaad...'

Sarhaan neemt het zichzelf kwalijk dat hij zo liegt. Maar hij heeft niet de moed om de waarheid te onthullen, die veel minder mooi is dan zijn verhaal.

'Weet je, ik mag je graag!' voegt Remy eraan toe. 'En ik vind je voornaam hartstikke chic! Sarhaan... Sarhaan...'

'Dat betekent "vrij" in het Frans.'

Waaruit blijkt dat mensen niet altijd een voornaam hebben die echt bij hen past.

* *
*

Het lopen gaat steeds moeizamer. Alsof er geen olie in het raderwerk zit. Alsof de bougies vet zijn.

Door te veel kilometers.

Te veel modder.

Te veel pijn.

Ze neemt het zichzelf erg kwalijk... Zonet heeft ze een man in kaki kleren gezien, gewapend met een geweer. Ze raakte in paniek en rende een andere kant op, tot diep in het bos, ervan overtuigd dat ze op een duivelse wachter was gestoten. Toen ze door niemand werd gevolgd en er geen schot was gelost, besefte ze haar vergissing.

Hij maakte geen deel uit van de groep. Hij had haar kunnen helpen.

Hij was haar kans geweest. Ze heeft hem voorbij laten gaan. Dat zal haar misschien het leven kosten. Er zijn fouten die je duurder komen te staan dan andere.

Ze is er eindelijk in geslaagd weer op het pad te komen, maar haar 'kleine uitstapje' in het kreupelhout heeft geleid tot een gedenkwaardige val. Niets ernstigs. Ze is gewond geraakt aan haar enkel.

Extra pijn die ze kan missen als kiespijn en die haar tempo waarschijnlijk nog meer zal vertragen.

Het regent weer hard. Het onweer komt dichterbij, verwijdert zich. De dreiging. De hoon. Kon het onweer haar achtervolgers maar dodelijk treffen!

Diane, godin van de jacht. Opgejaagd door jagers.

Er klopt iets niet.

Maar ze heeft altijd het gevoel dat er iets niet klopt in haar leven.

Misschien is dat erfelijk? Ze moet denken aan haar grootvader van moederskant, die ze niet heeft gekend. Hij is voor haar geboorte verdwenen, vertrokken om de Himalaya te ontdekken. Een groot onderzoeker, haar grootvader. Een avonturier.

Zijn lichaam is natuurlijk nooit teruggevonden. Haar grootmoeder is van verdriet gestorven.

Nee, ze wil niet dat de geschiedenis zich herhaalt. Zíj wil niet verdwijnen.

Af en toe raadpleegt ze de kaart, die beschadigd is door het ijskoude bad. De eerste grote weg is kilometers ver weg. Het eerste huis nog verder.

Zijn de Cevennen zo uitgestrekt? Ze is nog maar kort

in het hart van het Nationaal Park. Misschien krijgt ze een tweede kans. Misschien komt ze een van de bewakers tegen, die rondlopen in het gebied. Het is zaterdag, maar...

Ze heeft er nog nooit zo naar verlangd om een man in uniform te zien! Het wordt een echte hersenschim! Ze zou zich in zijn armen storten, flauwvallen aan zijn voeten...

Maar voorlopig is ze slechts één ree tegengekomen, die niet echt bereid was haar te helpen.

En een jager die ze – ten onrechte – aanzag voor een moordenaar.

Ze neemt zich voor om, als ze hieruit komt, nooit meer kaki kleren aan te trekken! Een kleur die ze niet meer zal kunnen verdragen.

Ze heeft haar laatste mueslireep opgegeten. Haar maag vraagt dringend om voedsel. Haar spieren vragen dringend om brandstof. Ze kan hun niets geven.

Niets meer dan een heleboel wilskracht.

Ze gaat in haar binnenste de bronnen zoeken die nodig zijn om niet langs de kant van de weg te stoppen. Stoppen om op de dood te wachten.

Ze zou graag in het natte gras gaan liggen, en zich laten doodvriezen.

En toch loopt ze.

En toch wil ze leven.

Je komt er heus wel uit. Je zult het licht terugzien.

Je zult weer een lekker, comfortabel nest vinden. Je zult eten en drinken zoveel je wilt.

Je zult weer thuiskomen in je mooie appartement!

Je zult je moeder, je vader, je broer en je zus terugzien.

Je zult overleven.

Jouw uur heeft niet geslagen. Je bent nog veel te jong om dood te gaan.

Misschien komt Clement op een dag terug. En dan moet je er zijn om hem op te wachten.

Ja, op een dag zal hij terugkomen.

En ik zal er zijn.

* **

Julie verdwijnt in het denkbeeldige schemergebied...

Sylvain steekt zijn arm in de lucht. Het is onmogelijk om haar tegen te houden. Niemand kon haar tegenhouden, haar temmen. Ze was wild, ze was vrij.

Té, misschien... De enige manier om haar in bedwang te houden was haar om het leven brengen.

Sylvain sluit zijn ogen. Zijn arm valt terug op zijn borstkas.

Dan houdt zijn hart op met vechten. Hij vertrekt door een tunnel zonder eind.

Hij vertrekt naar een onbekend licht... Blauw als de ogen van Julie.

10

Roland Margon heeft altijd van de geneugten van het aardse leven gehouden. In zijn ogen het enige leven dat er is.

Lekker eten, goede wijn, mooie vrouwen. De volmaakte trilogie.

En niet te vergeten de jacht. En, natuurlijk, geld.

De rest is lulkoek van de pastoor of een geremde intellectueel.

Hij is apotheker geworden omdat zijn vader dat ook was. Een voorbestemd lot. De apotheek van zijn vader overnemen, zich op zíjn beurt verrijken: kansen die je niet kunt laten lopen. Ziekte zal nooit uit de mode raken. Hij is niet van plan met de noorderzon te vertrekken! Bovendien is hij de enige in het dorp die dat mooie beroep uitoefent. Geen concurrentieproblemen. Een ideale situatie.

Gestudeerd in Montpellier, een beetje langer dan was verwacht. Geprofiteerd van zijn jeugd en zijn studentenleven, dat door zijn ouders werd gesponsord. Nachten zonder slaap, vol drugs, alcohol en makkelijke veroveringen.

Daarna teruggekeerd naar het platteland en een paar jaar zijn oudeheer bijgestaan, lang genoeg om hem zachtjes naar de uitgang te duwen.

Hij is de zoon van een notabele apotheker, en hij is op zíjn beurt een notabele apotheker geworden. Een beroep dat respect afdwingt, dat een bijzondere eruditie veronderstelt.

Een charmante echtgenote, twee probleemloze kinderen, een heel mooie auto, een huis dat door een architect is ontworpen, met alle moderne comfort. Een huis dat opvalt in het omringende landschap.

Een prachtige verzameling wapens.

Af en toe een buitenechtelijk avontuurtje, als de sleur hem zwaar valt.

De jacht, zijn favoriete tijdverdrijf. Zijn passie.

Een traditie in de familie, in de streek. En tradities moeten worden gerespecteerd. Vooral de tradities die nuttig zijn om te rechtvaardigen wat niet goed te praten is. Omdat er veel tradities verloren zijn gegaan, tradities die iedereen volledig koud laten.

Kortom: een volmaakt leven...

Aan de buitenkant, in ieder geval. Een fraai plaatje, een mooi schilderij. Op voorwaarde dat je niet aan het oppervlak zit... dat je niet het vernislaagje eraf haalt, dat droefheid en naargeestigheid verbergt.

Waarom drinkt hij? Wat is de verveling die hij moet verdrijven? Het tekort dat hij moet aanvullen? De leegte die hij moet opvullen door een beetje te veel alcohol?

Hij heeft nooit willen toegeven dat hij een alcoholist is. Verslaafd aan alcohol. Uiteindelijk blijft hij prima in staat om zijn beroep uit te oefenen. Hij is nooit echt dronken.

Hij is nooit in elkaar gezakt voor een toog of op een trottoir.

Hij heeft nooit de Marseillaise geblèrd, poedelnaakt op de tafel van de kroeg.

Heeft zich nooit laten pakken door de politie terwijl hij met te veel alcohol in zijn bloed rondreed.

Heeft nooit in een politiecel moeten ontnuchteren.

Roland heeft alleen behoefte om te drinken.

Elke dag. Steeds meer.

Een wit wijntje in de morgen, rode wijn tussen de middag en 's avonds. Met daartussenin het ritueel van het aperitief... Een rondje, dan nog een. Louter beleefdheid, elementaire wellevendheid.

Een dagelijkse dosis die hem langzaam maar zeker sloopt.

En dan het heimelijke geweld, dat hem soms overweldigt.

Waarom slaat hij zijn vrouw? Zijn kinderen?

Roland Margon vermijdt het zorgvuldig zichzelf die vragen te stellen, uit angst dat hij zich dan op een hellend vlak begeeft. Gevaarlijk. Dat hij in een diepe kloof zal vallen, waar hij niet uit kan komen.

Margon ontwijkt die vragen hardnekkig, en vindt voorwendsels, leugens en alibi's.

Hij drinkt niet. Hij is alleen een levensgenieter die ervan houdt om zich rond een glas met vrienden te ontspannen.

Hij slaat zijn kinderen niet, hij voedt ze op met de noodzakelijke strengheid. Trouwens, heeft hij zelf als jongen niet dezelfde behandeling gekregen? Daar plukt hij tegenwoordig de vruchten van.

Zijn vader heeft hem het voorbeeld gegeven. Hij kon bloedende wonden verzorgen, de wonden die te zien waren. Een beetje alcohol, een pluk watten, verband.

Voor de andere wonden, die je níét kon zien, kende hij geen remedie. Liefde, tederheid en een luisterend oor maakten geen deel uit van zijn medische arsenaal.

Nee, Roland Margon mishandelt zijn kinderen niet, terroriseert ze niet. Hij leidt ze als een goed huisvader. Hij zorgt ervoor dat ze gehoorzamen en zich netjes gedragen en dat het hun aan niets ontbreekt.

Wat zijn vrouw betreft, zij heeft gevráágd om de paar klappen die ze heeft gekregen. Niets bijzonders, een simpele uiting van geprikkeldheid en vermoeidheid na een drukke werkdag.

Ja, ze vraagt erom. Elke keer.

Hij heeft haar altijd gegeven wat ze wilde... Kleren, schoenen, auto's, juwelen, bontjassen. Ook een supermoderne keuken en een werkster.

Waarom provoceert ze hem dan? Dat heeft hij nooit begrepen. Heeft hij nooit wíllen begrijpen.

Wat heeft het voor zin?

Trouwens, ze zou al zijn vertrokken als hij inderdaad een slechte echtgenoot was. Dat is toch een bewijs?

Kortom: een volmaakt leven... Waarin niets hem uit zijn evenwicht leek te kunnen brengen.

Als de kleine Julie er niet was geweest. De mooie Julie.

Hij had toegestemd haar in dienst te nemen toen ze huishoudelijk werk wilde gaan doen om wat geld te verdienen. Hoe had hij haar dat kunnen weigeren?

Elke avond zat hij stiekem naar haar te kijken, terwijl ze druk in de weer was in de apotheek. Ze zong erbij.

Elke avond begeerde hij haar in stilte.

Elke avond stelde hij zich voor... dat ze op een dag van hém zou zijn, al was het maar voor een paar uur.

Soms glimlachte ze tegen hem, praatte met hem, met de beleefdheid van een modelwerkneemster.

Verder niet.

Hij heeft geprobeerd dichter bij haar te komen, zoals je je prooi nadert na even op de loer te hebben gelegen.

Maar zijn pogingen zijn steeds op een jammerlijke mislukking uitgelopen.

Onaanraakbaar, de verheven Julie.

Ontoegankelijk op haar voetstuk.

Onneembare vesting, tenzij er geweld wordt gebruikt.

Dus is hij haar gaan chanteren.

Wil je je baantje houden? Wil je loonsverhoging? Dan moet je me in ruil daarvoor iets geven.

Het heeft hem pijn gedaan om zover te gaan, om zich zo te verlagen. Het heeft zijn mannelijkheid een zware slag toegediend. Maar hij was tot alles bereid om te zorgen dat ze hem niet vergat.

Schijnbaar is alles te koop.

Alles.

Julie niet. Onomkoopbaar.

Weer een mislukte poging. Behalve dat hij zojuist een misstap heeft begaan.

Ze heeft niet alleen geweigerd, maar ze heeft het ook gewaagd te dreigen dat ze alles aan zijn vrouw en aan zijn kinderen zal vertellen. Aan het hele dorp. Dat ze het van de daken zal schreeuwen. Dat ze de bevolking over zijn dwalingen zal inlichten. Ze wist dingen, Julie. Ze wist van een paar van zijn trouweloze daden. Hoe? Een raadsel...

Margon is een respectabele man. Maar hij weet dat het evenwicht van zijn leven wankel is. Eén simpel briesje en... het kaartenhuis stort in.

Julie eiste geld in ruil voor haar stilzwijgen.

Uiteindelijk werd hij bang.

Uiteindelijk heeft hij betaald.

Onverdraaglijke vernedering. Maar nu hoeft hij geen cent meer neer te tellen.

De laatste euro die Julie hem heeft gekost, was een bijdrage aan het bloemstuk op haar graf.

Dat was wel het minste wat hij kon doen.

Nu hoefde hij alleen nog maar een lastige getuige uit beeld te laten verdwijnen en dan zullen de rust en orde eindelijk weerkeren.

Dan zal hij de draad van zijn volmaakte leventje weer kunnen oppakken...

11

'Verdomme, ik heb honger als een paard!' bromt Remy.

'Ik ook!' bekent Sarhaan.

Eyaz heeft geen honger. Zijn maag is ongetwijfeld van streek door zijn verdriet.

'Kunnen we niet iets te eten voor ons vinden?' vervolgt Sarhaan.

'Wat dan? Wortels? Boomschors? Wil je dat we een hert doodschieten en het dan aan het spit braden?'

Sarhaan barst in lachen uit. Híj kan nog lachen, de twee anderen hebben er de kracht niet meer voor.

'We zouden planten kunnen eten,' oppert hij. 'Ken je geen eetbare planten?'

'Nee, beste jongen! Ik ben geen tuinder! We zouden desnoods op zoek kunnen gaan naar paddenstoelen. Maar daar heb ik ook geen verstand van... Als we amaniet naar binnen krijgen, zijn we in de aap gelogeerd!'

Remy begint te dromen van een omelet met champignons, het water loopt hem in de mond.

Hij is gewend om honger te lijden. Maar gewoonlijk loopt hij niet de marathon in de hoofdstad!

Vluchten maakt hongerig.

Konden ze maar drinkwater vinden. Ze hebben gedronken uit de laatste vijver die ze tegenkwamen. Rare smaak... Het water smaakte naar modder en uitwerpselen.

Smerig, maar beter dan niets.

Plotseling fluistert een licht briesje een bekend geluid in zijn oor. Dat van blaffende honden.

Ze zijn nooit heel ver weg.

Hij, Sarhaan en Eyaz zijn nooit veilig.

Maar ook zíj zijn nu gewapend! Eén pistool voor drie personen. Vijf kogels voor drie levens.

Het is magertjes, maar het bemoedigt hen wel een beetje.

En verder is er de vriendschap die tussen hen is ontstaan. Ze kennen elkaar niet. Maar de omstandigheden versnellen het proces.

Wapenbroeders worden smeedt een band. Vechten tegen een gemeenschappelijke vijand wist de verschillen uit.

Toch zou Remy graag het pistool aan zijn riem hebben hangen in plaats van te weten dat Eyaz het draagt. Het met geweld van hem afpakken? Daar heeft Remy wel aan gedacht, maar hij heeft het niet echt gedaan. Trouwens, hij denkt er nog steeds aan... het zou hem geruststellen om het stuk metaal tegen zijn huid te voelen. Dat zou hem moed geven. Hem misschien een beetje de angst, de honger, de dorst, de vermoeidheid en de pijn doen vergeten.

Hij heeft vooral pijn aan zijn voeten, twee enorme blaren. Plotseling schaamt hij zich voor zijn zelfmedelijden.

Plotseling denkt hij aan Hamzat, op de bodem van de vijver.

In elk geval heeft die geen pijn meer. Noch honger, noch dorst... noch angst.

* * *

Haar ritme is veranderd. Hoe Diane het ook probeert, het lukt haar niet meer haar tempo op te voeren.

Maar ze slaagt er nog wel in om door te gaan, wat ze verbazingwekkend vindt.

Het beroemde overlevingsinstinct, waardoor je ver over de door je lichaam opgelegde grenzen kunt gaan.

Ze loopt niet meer met haar benen, maar met haar hoofd, haar ingewanden, haar zenuwen. Met haar hoop en haar angst.

Er komt vast een moment waarop ze in elkaar zal zakken. Het opgeeft. Op de knieën valt...

Maar dat moment is nog niet aangebroken. Ze is heel blij dat ze altijd aan sport heeft gedaan. Joggen, lopen, zwemmen.

Anders zou ze al dood zijn geweest.

Anders zouden die klootzakken hebben gewonnen.

En zij, hoelang zullen zíj standhouden?

Wie zal het beste uithoudingsvermogen hebben? Zij of ik?

Plotseling bereikt ze een kruispunt. Ze blijft abrupt staan. Onmiddellijk voelt ze de pijn in haar benen toenemen, als een gif dat langzaam opstijgt, tot in haar hart. Vooral niet gaan zitten!

Ze raadpleegt haar kaart. Twee paden leiden naar dezelfde plek. Naar de enige verkeersweg, het enige gehucht. Maar wat is de kortste, de makkelijkste route?

Waarschijnlijk het rechterpad. Ook al beloven beide paden een aanzienlijk hoogteverschil.

Ook al heeft ze het zwaarste stuk nog voor de boeg...

***

'Zien jullie wat ik zie?' bromt Remy.

Ze blijven staan, knipperend met hun ogen. Ze hadden het heerlijke gemurmel van koel, helder water wel gehoord, maar ze dachten aan een welluidende zinsbegoocheling. Maar het is tóch een bron, omgeven door loof en mos.

'Fantastisch!' zegt Sarhaan.

Ze willen zich op het wijwater storten, maar Eyaz houdt hen tegen. Hij brabbelt een paar woorden in het Engels. Remy fronst zijn wenkbrauwen.

'Hij zegt dat het gevaarlijk is,' vertaalt Sarhaan. 'Dat het misschien een valstrik is...'

'Een valstrik? Het is alleen maar een fontein, verdomme! Jullie zijn paranoïde! We moeten profiteren van dit buitenkansje, want die smeerlappen zitten ons op de hielen!'

Remy gaat aan het hoofd van de stoet lopen, nadat hij aandachtig om zich heen heeft gekeken. Hij nadert de stenen drinkplaats. De planten reiken tot aan zijn knieën.

Jammer dat ze er niet aan hebben gedacht om een tafel, stoelen en een handelaar in calorierijke troep neer te zetten. Of een frietkraam.

Nog twee stappen en dan zal hij eindelijk zijn dorst kunnen lessen met zuiver, helder, feeëriek water.

Hij voelt iets hards onder zijn linkervoet en hij hoort een angstaanjagende klap...

* * *

Als de jagers het kruispunt bereiken, stoppen ze.

'Ik ben het spuugzat,' verzucht Granet junior.

'Ze is hoogstwaarschijnlijk rechts afgeslagen, dat is de snelste manier om op de geasfalteerde weg te komen,' zegt Roland. 'Goed, dan gaan wij naar links...'

'Meen je dat?' vraagt Hugues verbaasd.

'Jazeker! De weg binnendoor staat niet op de kaart, dus die kan ze niet kennen. Wij gaan hem wél nemen. Dan zijn we eerder boven dan zij en hoeven we haar alleen maar op te wachten... Ze zal recht op ons aflopen!'

'Wacht even,' komt Severin tussenbeide. 'Niets zegt ons dat ze niet links is afgeslagen en dat ze weer op weg is naar de Louve...'

'Waarom zou ze daarheen gaan?' vraagt de apotheker boos. 'Het enige wat ze wil is een weg vinden, een dorp! Ze zoekt hulp! Ik zou niet weten waarom ze weer naar de Louve zou afdalen. Dat is dom. En dom is ze bepaald niet...'

'Precies. Misschien heeft ze besloten ergens heen te gaan waarvan wij niet denken dat ze dat zou doen,' voegt Gilles er op scherpzinnige toon aan toe. 'Om ons kwijt te raken... Wij gaan naar het dorp en zij, zij daalt weer af naar de Louve.'

Roland slaakt een zucht.

'Heb je de voetsporen gezien?'

Ze buigen allemaal het hoofd.

'Die zijn misschien niet van haar!' zegt de waard.

Margon zet zijn voet naast de afdruk in de modder, op het pad dat naar rechts gaat.

'Zie je dan niet dat het een kleine maat is? Het is dus een damesschoen! En ik denk niet dat er vandaag veel vrouwen zijn die het pad volgen!'

De drie anderen weten daar niets tegen in te brengen.

'Gelukkig ben ik hier,' bromt Margon. 'Jullie zijn echte eikels...'

Na die mooie woorden gaat hij weer op kop lopen, in looppas. Zijn helpers volgen hem, zwijgend, bitter gestemd.

En dan te bedenken dat ze de dag ervoor de beste vrienden ter wereld waren...

.

Klik.

De metalen kaken hebben zich zojuist om zijn been gesloten.

Remy brult en zakt als een plumpudding in elkaar.

De anderen aarzelen even. De Tsjetsjeen pakt een stok om zich een weg te banen door het hoge gras. Sarhaan loopt vlak achter hem. Ten slotte bereiken ze Remy, die kronkelt van de pijn.

'Eyaz had gelijk,' bromt Sarhaan. 'Het was inderdaad een val...'

'Het kan me geen moer schelen of hij gelijk had of niet!' kreunt Remy. 'Haal me hieruit, verdomme! Ik heb pijn...'

'Rustig maar,' smeekt Sarhaan. 'Kalmeer een beetje. We gaan proberen je te bevrijden. Beweeg je niet...'

Remy begint te huilen. Door de pijn laat hij zijn tranen de vrije loop.

'Verdomme, schiet op! Het is ondraaglijk!'

De twee anderen hurken neer en pakken elk een kant van de val beet. Het lukt hun enigszins de stalen onderkaken te verwijderen, maar Eyaz laat los nadat hij een tand in zijn vinger heeft gekregen. Remy schreeuwt opnieuw. Ongetwijfeld de tweede keer dat de klem tot in het bot doordringt.

Hij legt zijn handen voor zijn verwrongen gezicht en probeert stil te zijn, maar hij blijft jammeren.

'Je moet aan je been trekken zodra we dat tegen je zeggen,' verduidelijkt Sarhaan.

Remy haalt diep adem.

'Daar gaan we...'

Tweede poging.

'Kom op!' Remy kruipt over de grond terwijl hij met moeite zijn kuit uit de helse val haalt, maar zijn voet kan er niet doorheen. Zijn twee redders blijven zich inspannen. Ze proberen de twee delen van het martelwerktuig een beetje verder te openen. Eindelijk lukt het Remy zich te bevrijden. Hij blijft op zijn rug liggen, terwijl hij nog steeds in zijn hand bijt om te verhinderen dat hij schreeuwt. Onmiddellijk snijdt Eyaz met zijn zakmes een reep stof uit de broek van de gewonde. Hij dompelt de stof in het koude water en legt deze op de diepe wond.

Armzalig verband.

'Ik ga dood! Ik ga dood...'

Sarhaan en Eyaz lessen hun dorst. Dan slepen ze hun vriend naar de fontein om hem op zijn beurt water te laten drinken.

'We moeten weer verder,' zegt Sarhaan. 'Ze komen dichterbij...'

'Ik kan niet meer lopen…'

'Dat kun je wél,' beveelt de neger, terwijl hij Remy over-eind helpt. 'Je moet lopen!'

Remy heeft amper een teen op de grond gezet of hij valt bijna flauw.

'Ik kan het niet… ik kan niet meer… Die rotstreek heeft waarschijnlijk mijn been onbruikbaar gemaakt…'

Eyaz gaat links van hem staan. Nu wordt hij geflankeerd door twee lijfwachten.

En nu is hij verplicht om door te gaan, en zijn best te doen om zijn vrienden niet af te remmen.

Hij heeft al zo lang geen vrienden meer…

* * *

Het pad stijgt steeds meer.

Diane gaat nog langzamer lopen.

Ze heeft het idee dat ze een muur beklimt.

Het is weer gaan regenen. De modder maakt het pad glibberig, waardoor ze nog langzamer moet lopen. Maar zíj ook, ze worden vast en zeker afgeremd.

Het zijn geen bovenmenselijke wezens, Diane. Zelfs geen sporters. Alleen maar een stelletje zuiplappen.

Jij loopt om je leven te redden.

Zij ook, uiteindelijk…

Zij, die haar geest volkomen beheersen. Die haar obse-deren en dat moeten blijven doen. Niet ophouden aan hen te denken, nog geen seconde.

Het gevaar zit haar op de hielen. Als een weerzinwek-kende adem in haar nek, een verschrikkelijk gefluister in haar oren.

Een ijspriem in haar rug.

Gelukkig proberen andere gezichten af en toe op de voorgrond te treden. Troostend, zacht...

Dat van Clement, van wie ze alle details en al zijn gezichtsuitdrukkingen nooit is vergeten. Als hij lachte, haar plaagde of tegen haar fluisterde hoeveel hij van haar hield.

Nooit vergeten, ook al is het alweer twee jaar geleden dat hij met de noorderzon is vertrokken.

De beelden van hun ontmoeting, de gevoelens, die zeven jaar later nog hetzelfde zijn. Nog steeds vers in haar geheugen, in haar lichaam.

En dan het gezicht van haar naasten, voor wie het ondraaglijk zou zijn om nooit meer iets van haar te horen.

Als ze je te pakken krijgen, zullen ze je doden. Maar niemand zal ooit je lijk terugvinden. Ze zullen je midden in het bos begraven, je in een bodemloze mijnschacht gooien, in een mijn die niet meer in gebruik is.

Ze zullen je laten verdwijnen en niemand zal ooit weten wat er van je is geworden.

Wat is erger dan onzekerheid?

Wat is erger dan zelfs geen plek te hebben om diep na te denken?

Wat is erger dan zich al twee lange jaren af te vragen: waarom ben je weggegaan?

Waarom heb je me in de steek gelaten?

12

Voor zijn tiende verjaardag gaf zijn vader hem een geweer. Op die leeftijd krijgen de meeste jongens onschuldig speelgoed, maar hij kreeg een geladen geweer.

Hij vergezelde zijn vader al twee jaar tijdens de jacht. Vanaf die verjaardag had hij het recht actief aan de jacht deel te nemen, in plaats van alleen maar toeschouwer te zijn. Het recht om op zíjn beurt dieren te doden, en niet alleen maar de neergeschoten buit op te halen.

Geduldig heeft zijn vader hem alles uitgelegd: alle trucjes, de strategieën, de dodelijke krijgslisten.

Hij heeft aangetoond dat het menselijk intellect kan zegevieren over elke kracht, elke snelheid of elk instinct van welk dier dan ook.

Met het verstand én geavanceerde wapens, natuurlijk.

Maar om zulke dodelijke apparaten te maken moet je toch een uitmuntend verstand hebben?

Geduldig heeft zijn vader een volmaakte moordenaar van hem gemaakt.

Drijfjachten, lange jachten te paard. Hij heeft alles geprobeerd, en hij vond alles leuk.

Het is een drug geworden.

Intraveneuze injecties van vers bloed, shots van slachtpartijen.

Maar deze junks worden gerespecteerd. Ze worden niet uitgestoten uit hun omgeving, nee.

Als bewijs: zegenen de pastoors niet de deelnemers aan een jacht, de meutes, en de paarden voor hun vertrek?

Hij was er zo verzot op, er zo aan verslaafd, dat hij er zijn beroep van maakte.

Safari's in Afrika organiseren. Het idee is niet erg origineel maar nog steeds lucratief. Vooral wanneer in Europa het grote wild begint te verdwijnen. Wanneer de regels een beetje strenger worden.

Het doet er weinig toe. Er bestaan nog steeds plekken waar de fauna overvloedig is. Of bijna.

En waar een aanzienlijke vrijheid heerst.

Uitgestrekte gebieden om uit te buiten, hele soorten om methodisch uit te roeien. Panters in Centraal-Afrika, buffels en impala's in Tanzania, springbokken in Zuid-Afrika, leeuwen in Benin, olifanten in Botswana, krokodillen en nijlpaarden in Mozambique.

Met jeeps, volgers en dragers. Zwarte, natuurlijk.

Comfortabele bungalows, voorzien van aangrenzende badkamers, airco. Alle moderne comfort.

Europese koks achter het fornuis, om zich niet al te zeer ontheemd te voelen.

Omdat ze geen wilden zijn.

Met de verzekering dat ze prachtige trofeeën mee zullen nemen om boven de schoorsteen te hangen, om het buitenhuis mee te versieren, om vrienden te verbazen en met hun geld te pronken.

Trofeeën waarvan sommige misschien in het Guinness Book of Records komen te staan, dat is jé van hét!

De meeste klanten kwamen alleen, maar sommige namen ook hun gezin mee, voor een onvergetelijke droomvakantie...

Een bloederige...

Als souvenir namen ze een mooie foto mee van het overwonnen wild dat voor hen op de grond ligt. De kinderen staan eromheen, trots op hun vader.

De echtgenote kijkt verrukt en vol bewondering naar haar man. Die grote, blanke jager, die goddelijke verkenner, die moedige avonturier...

Daarna leerde hij alle wapens en alle jachtmethodes perfect te beheersen: de jacht met strikken en vallen, met de kruisboog, de valkenjacht. In Canada, Azië en Zuid-Amerika.

Wereldreis van de georganiseerde afslachting.

Een wereldreiziger van het bloedbad.

Een huursoldaat van de slachting.

Tijdens een van die safari's kwam het idee bij hem op. Heel natuurlijk, terwijl hij de klanten observeerde, hun instincten nauwkeurig onderzocht en ook naar de zijne luisterde.

Het was op een mooie dag in december, toen sommige deelnemers zich vermaakten met het achtervolgen van een paar zwarten. Ze wilden met hun geweren op hen schieten.

Om zich te ontspannen, zich te amuseren. Zonder aan kwaad te denken. Alleen maar om lol te hebben onder elkaar.

Omdat er geen wild was...

Hun zenuwen moesten worden gekalmeerd, ze moesten waar krijgen voor hun geld.

Niemand stoorde zich eraan. Zelfs niet het ongelukkige namaakwild. Zij die niet meededen, keken met een welwillend oog toe.

Een spel, niets meer. Een schijnvertoning, een parodie.

En toen zei hij tegen zichzelf dat hij meer poen kon verdienen, en in slechts een paar seizoenen een kapitaal vergaren en voortijdig met pensioen gaan.

Een gouden pensioen.

Terug in Frankrijk begon hij over alle details, hoe klein ook, na te denken.

In het begin leek het wel een droom. Een sciencefictionroman, een toekomstroman. Iets onvoorstelbaars, iets ongelooflijks.

Maar nee, het was geen droom.

Hij hoefde maar om zich heen te kijken.

De maatschappij die hem omringde te analyseren.

Het marktmechanisme, dat is de wet van vraag en aanbod.

Hij had ze beiden binnen handbereik.

Klanten die bereid waren om formidabele bedragen te betalen om aan dé jacht mee te doen. De jacht van hun leven. De ultieme jacht.

Om de verboden in alle veiligheid te trotseren. Om een groots, heftig en onvergetelijk avontuur mee te maken.

Wat de prooien betreft, daar waren er nog meer van. Ze lagen voor het oprapen.

Zwervers, die al jaren niemand interesseerden. Geschrapt op de lijsten, verdwenen van de kaarten, veracht door de statistieken, in vergetelheid geraakt, als in een put zonder bodem.

Slachtoffers van het gezamenlijke geheugenverlies.

Immigranten zonder papieren, die zich verschuilen, zich verbergen. Als dieren. Wat is het makkelijk om ze uit hun hol te verjagen.

Je hoefde alleen maar inkopen te doen op de juiste plekken en op de juiste momenten. Je menselijke handelswaar kopen of stelen. Met één basisprincipe, waaraan hij zich altijd heeft gehouden: geen vrouw, geen kind. Alleen gezonde mannen, in de kracht van hun leven.

Dat zou anders het plezier hebben bedorven.

Zo is de wereld gemaakt. Dat zal nooit veranderen.

De jagers aan de ene, de prooien aan de andere kant.

13

14.30 uur

De Lord rijdt links van de Oostenrijkse. Af en toe loert hij naar haar benen, haar dikke bos haar, haar borsten. Ook naar haar keel. Vreemd, dat verlangen om zijn handen eromheen te leggen en te drukken.

Voor hem zijn geweld, dood en genot altijd nauw met elkaar verbonden geweest...

Ze zijn dicht bij het wild, hij ruikt het. Net als de honden, die de grond besnuffelen en opgewonden raken aan het eind van hun lijn. De Lord heeft hen speciaal getraind voor dit soort jachten. Een klus van lange adem en geduld.

Hij heeft ze nog niet losgelaten, om de spanning te laten voortduren. Maar het is tijd om een tweede voortvluchtige dood te schieten om weer een beetje leven in de brouwerij te krijgen.

In de buurt van de fontein stijgt hij af. Hij nadert voorzichtig de drie vallen die aan weerskanten van de fontein zijn geplaatst. Hij inspecteert ze, stuk voor stuk. Zijn eeuwige glimlach wordt plotseling nog breder.

'Op deze zit bloed!' roept hij uit. 'Ze zijn hier kortgeleden langsgekomen en een van hen is erin getuind!'

De gasten begroeten dat uitstekende nieuws met gejuich. De volgende op de lijst zal spoedig van hen zijn. Er wordt om gewed wie van de drie in de val is gelopen.

Wie van de drie de volgende zal zijn die sterft.

Alleen Sam Welby, de Engelse klant, blijft zwijgen. Sinds vanmorgen heeft hij zijn mond vrijwel niet opengedaan, terwijl hij vloeiend Frans spreekt. De Lord klimt weer in zijn zadel en werpt de Engelsman een onderzoekende blik toe. Dat weinig vrolijke gedrag lijkt hem op z'n minst verdacht. Er komen twijfels bij hem op. Wat als…? Wat als die vent geen echte klant is? Maar wat zou hij anders kunnen zijn? Om deel te nemen aan deze buitengewone jachten moet je onder de bescherming staan van iemand die al eens mee heeft gedaan. Desondanks stelt de Lord altijd een zeer nauwgezet onderzoek in naar zijn potentiële gasten. En hij heeft niets verdachts gevonden over Sam Welby, die niet bij Scotland Yard hoort! Maar je weet maar nooit!

De Engelsman, die de priemende blik voelt waarmee er naar hem wordt gekeken, draait zijn hoofd om en streelt de hals van zijn paard.

'Vergeet niet dat ze gewapend zijn,' brengt de Lord in herinnering. 'Wees waakzaam!'

Hij beveelt de honden los te laten.

* ** *

De stoet valt uit elkaar.

Roland Margon, nog steeds op kop, houdt een goed ritme

aan, ook al begint hij het moeilijk te krijgen. Achter hem Severin Granet, gesloten gezicht, hoofd gebogen.

Twintig meter verder Hugues en Gilles, zichtbaar uitgeput, die zich moeizaam voortslepen. Ze doen hun uiterste best om aansluiting met de anderen te houden.

Plotseling richt Gilles zich tot de waard. Zachtjes vraagt hij: 'Wat is dat voor verhaal waar Margon zopas mee op de proppen kwam?'

'Waar heb je het over?'

'Over wat hij van jou weet… Die maandagavond…'

'Wat gaat jóú dat aan? Bemoei je met je eigen zaken!'

'Ik wil alleen maar weten of…'

'En ik vraag je wat jíj uitspookte op de plek waar ze Julie gewurgd hebben aangetroffen.'

'Wind je niet op…'

Hugues versnelt zijn pas, om afstand tussen hem en de nieuwsgierige Gilles te scheppen.

Die vervloekte avond van 27 april… Hij kwam laat thuis, hij had te veel gedronken. Zoals zo vaak, trouwens. Borrelen met Margon, het zoveelste rondje.

Het joch op de fiets zag hij pas op het allerlaatste moment, toen zijn auto de jongen raakte en deze vervolgens in de berm belandde. Het kind reed zonder licht. Niet erg voorzichtig.

Niet echt zijn fout, nee. Ook als hij nuchter was geweest, zou hij de jongen niet hebben gezien.

Na de aanrijding werd hij bang, maar hij stopte niet.

Hij reed door, met een ellendig gevoel.

De volgende morgen ging hij naar de apotheek om Roland te spreken. Die had juist het dramatische verhaal gehoord. De dood van die jongen, die hij ook nog kende.

Hugues nam zijn vriend in vertrouwen en zei dat hij van plan was zich over te geven aan de politie. Margon wist hem dat uit het hoofd te praten. Hugues herinnert zich zijn woorden nog precies.

Hoe dan ook, de jongen is dood. Door de gevangenis in te gaan zul je hem niet uit de dood doen opstaan. Door je op te offeren zul je hem niet doen terugkeren. Als je naar de politie gaat, zul je alles verliezen. Alles wat je hebt...

Hugues luisterde naar hem, de schoft.

Maar wie dwong hem daartoe?

Op weg naar Margon wist hij al wat hij ging horen.

Precies wat hij wílde horen. Hij had er gewoon behoefte aan om te biechten, om zijn te zware geweten te ontlasten.

En de eerwaarde Margon gaf hem absolutie.

Amen.

Een beetje verder op het pad draait Severin zich om en kijkt of zijn zoon er nog steeds is. Of hij niet in katzwijm is gevallen, of in het ravijn. Dan gaat hij verder met zijn afmattende beklimming.

Het is noch de regen noch de modder die de klim zwaar maakt.

Ook niet de fysieke inspanning of de kilometers die hij sinds die morgen heeft afgelegd.

Want Severin Granet, bijna vijftig jaar oud, kan nog hele dagen in zijn geliefde Cevense heuvels lopen. In zijn eigen regio!

Vooral daarom houdt hij van de jacht. Vanwege dat directe contact, tastbaar en concreet, met de natuur, de elementen, het leven.

Hij kent elke vierkante meter van deze streek, waarin zijn wortels diep zijn verankerd. Hij kent beter dan wie ook het landschap, de bomen, de varens en de struiken. De signalen van de lucht, de grillen van de wind. De dieren die dit woeste, steile paradijs bevolken. Hun gewoontes, hun kracht, hun zwakheden, hun instincten.

Nee, wat deze beklimming moeilijk maakt, is het doel ervan.

Macaber.

Het zijn de vragen die steeds heviger aan hem knagen. Die zich aan hem vastklampen, als een last.

Hij weet dat hij geen keus heeft. Roland heeft gelijk. Uiteraard!

Roland heeft altijd gelijk, hoe dan ook.

Granet heeft altijd al diep respect voor hem gehad. Een man die glansrijk is afgestudeerd, maar die ervoor heeft gekozen om terug te keren naar zijn geboortestreek en dezelfde gewoontes en dezelfde vrienden te houden. Die nooit zijn oorsprong heeft verloochend.

Toen ze kinderen waren, bewonderde Severin al de intelligentie van zijn vriend. Margon was goed in alle vakken, en hij drukte zich verbazingwekkend makkelijk uit. Hij werd de leider van hun kleine bende.

Een jongen en later een tiener die in de smaak viel bij de meisjes, de onderwijzers, de leraren en zelfs bij de ouders. Iemand die zeer getalenteerd de rol van verleider speelde, en zo met verve de donkere kant van zijn persoonlijkheid verborg: die van een gewelddadig, wreed, cynisch en bruut mens. Severin ving al heel vroeg een glimp van dat aspect op, zonder te proberen het echt, helemaal, te ontdekken. Hij had er geen behoefte aan dat Margon zijn masker liet vallen.

Iemand die in staat was een dier te martelen en het de

ergste kwellingen te laten ondergaan om zijn driften te bevredigen. Of gewoon om zich te vermaken, om het lijden te zien, het te ontleden en te bestuderen.

In staat om de zwaksten te vernederen, ze compleet in het nauw te drijven, ze de afgrond in te duwen om ze te zien vallen.

In staat om zijn omgeving te manipuleren met een ongelooflijk gemak en een onaantastbaar zelfvertrouwen. Severin is hem altijd gevolgd. Meestal alleen als toeschouwer, soms als medeplichtige bij zijn sadistische spelletjes.

Omdat Margon niet alleen die gemene, perverse en kwaadwillige figuur is. Hij is ook iemand op wie je kunt rekenen, weer of geen weer. Iemand met gezond verstand, die logisch kan denken. Dus ja, Severin is hem altijd gevolgd.

Behalve op de universiteit, natuurlijk. Na de middelbare school is Granet teruggekeerd om op de boerderij van zijn vader te gaan werken, want voor hem was het ondenkbaar dat hij iets anders in het leven zou doen. Dat was de enige ambitie die hij had. De handen en de ziel van een boer… Aan de zijde van zijn ouders wist hij het bedrijf tot bloei te brengen door nieuwe activiteiten te ontplooien, door de installaties te moderniseren en de winst te vergroten.

De handen en de ziel van een boer, ja. Maar een praktisch en methodisch boerenverstand had hem naar een fraai succes geleid.

En robuust onder elke beproeving. Werken heeft hem nooit angst ingeboezemd of afgeschrikt. De ruwheid van zijn bestaan evenmin.

Hij vond een volmaakte echtgenote, uit hetzelfde hout

gesneden als hij, moedig en toegewijd. Met liefde voor het boerenbestaan, niet bang voor de kou, het gebrek aan comfort, of de slavernij die dit beroep met zich meebrengt. Een echtgenote die hem twee kinderen schonk, een meisje en een jongen, het ideale evenwicht.

Die nooit klaagt, net als hij.

Die hem altijd heeft gesteund, ongeacht de omstandigheden. In zijn successen, zijn mislukkingen, zijn twijfels.

En verder is er Roland in zijn leven. Altijd trouw, ondanks hun verschillen. Roland, die hem nooit heeft laten vallen...

Dus waarom zou hij hem vandaag dan niet volgen? Hoe zou hij hem kunnen verraden?

Trouwens, wat moest hij anders? Hun leven verwoesten, hun gezin? Vernietigen wat ze allemaal geduldig hebben opgebouwd?

Hij heeft niets tegen die vrouw, die fotografe. Ze was alleen op het verkeerde moment op de verkeerde plek.

Op het moment van het ongeluk. Want het is slechts een ongeluk, niets anders. Stom.

Verschrikkelijk. Tragisch.

Severin hoopt nog steeds dat, als hun weg die van Diane opnieuw zal kruisen, zich een andere oplossing zal voordoen. Dat ze haar zullen kunnen sparen.

Maar hij kan niet rechtsomkeert maken of Margon tegenhouden.

Opsluiting in een gevangenis verdragen, hij die altijd in de vrije natuur heeft geleefd? De schande op zijn schouders verdragen?

De moord op Sylvain zullen ze duur moeten bekopen, als ze worden gearresteerd.

Tegen de juiste prijs.

Ook al verdiende die schoft de dood...

Maar verdiende hij het om onder in de put te eindigen? Was hij echt schuldig aan de moord op Julie? De vragen blijven door zijn hoofd spoken en zijn pas vertragen.

Zijn zoon, die daar op de dag van de moord rondhing, zonder speciale reden... Die niet weet hoe hij met vrouwen moet omgaan, al is hij bijna twintig.

Margon, die om Julie heen draaide als een vlieg om een pot honing... Die er niet aan gewend is dat een knappe vrouw hem weerstaat.

Hugues, die zichzelf duidelijk iets te verwijten heeft... Een zwaar geheim om te verbergen.

Sylvain, de kluizenaar met zijn waanzinnige blik, die in zijn eentje in zijn ruïne woonde... naar wie Julie te vaak is toegegaan.

Wie?

***

Het zweet staat op zijn voorhoofd, terwijl de temperatuur verre van zomers is.

Het bloed parelt op zijn been, door het noodverband heen.

Hij beweegt zich zo snel mogelijk, bijna hinkelend, leunend op zijn twee vrienden, die krukken zijn geworden. Sterke steunpilaren.

Bij moeilijke stukken draagt Sarhaan hem zelfs op zijn rug.

Voorbeeldige moed. Onvergetelijke opoffering.

Maar ze weten dat ze van het ene moment op het andere weer zullen worden gepakt.

Het lugubere geblaf van de honden herinnert hen daaraan.

Als ze aan de rand van het bos komen, stuiten ze op een nieuwe open plek met een vijver in het midden.

Waar staat dat vervloekte kasteel toch?

Ze steken het vochtige weiland over, nog steeds in ritmische pas, en slaan een breed, met gras begroeid pad in.

Plotseling blijven ze onbeweeglijk staan.

Het concert van de honden is veranderd. Het geblaf lijkt overal vandaan te komen. Van rechts, van links, van achteren... Waar bevinden ze zich?

Welke kant moeten ze op?

Ze volgen het pad, waarlangs bomen met oranjeachtige takken staan.

Remy bewondert ze. Hij kijkt op naar de hemel met zijn harmonieuze kleuren. Weldra zal hij sterven. Hij wil een beetje schoonheid in zijn koffer meenemen voor de laatste reis.

Er komt ook een merkwaardige herinnering bij hem op. De geur van de warme chocolademelk die zijn grootmoeder voor hem klaarmaakte toen hij een kind was. Een geur en een smaak die na zoveel jaren weer opduiken. Midden in het bos, midden op zijn kerkhof denkt hij daaraan.

Lieflijke, zoete, prachtige beelden.

De warme chocola verdwijnt en maakt plaats voor een ander, meer lichamelijk gevoel. Hij herinnert zich het lichaam van zijn vrouw, haar huid tegen de zijne. Hij heeft haar zo vaak verafschuwd sinds ze hem uit haar leven heeft verbannen. Maar op dit moment houdt hij weer van haar, heel veel, zoals op de eerste dag.

Ten slotte keert hij terug naar het heden. Hij kijkt naar

de uitgeputte gezichten van zijn metgezellen, die alles doen om hem te redden.

De ebben huid van Sarhaan. De staalblauwe ogen van Eyaz. Hun lijden vermengd met het zijne.

Voor eeuwig.

'Ik blijf hier, jongens,' zegt Remy plotseling.

'Hou je mond en loop door!' bromt Sarhaan.

'Nee.'

Remy valt op zijn knieën.

'Het is afgelopen. Ik pak het pistool en wacht ze op. Jullie moeten verdergaan. Het zal me heus wel lukken om een paar van hen kapot te schieten!'

Sarhaan haalt diep adem en vertaalt dan Remy's laatste wil voor de Tsjetsjeen.

In de verte, aan het eind van het groene pad, verschijnt de stoet.

In volle glorie.

Ze hebben de vluchtelingen nog niet opgemerkt.

Van nu af aan is het slechts een kwestie van seconden.

15.00 uur

Diane raadpleegt nogmaals haar kaart, die in een jammerlijke staat verkeert. Ze berekent de afstand die ze nog moet afleggen tot aan het bospad dat haar naar de verkeersweg en vervolgens naar het gehucht zal voeren.

Naar de vrijheid. Naar het leven.

De regen houdt op, komt terug en gaat weer weg. Alsof de hemel er plezier in heeft om de situatie op duivelse wijze te verergeren.

Diane dwingt zichzelf van tijd tot tijd een slok water te drinken, om haar spieren een beetje brandstof te geven. Als er suiker in zat, zou dat een stuk beter zijn...

Vanillethee, een cappuccino. Een geparfumeerd bad, een zacht en warm bed, een kussen om haar nek op te laten rusten. De armen van een man, Clements armen...

Muren om haar heen, een plafond boven haar hoofd, tapijt onder haar voeten...

Een televisie die aan is, een telefoon die rinkelt. Een gerecht dat op een gasfornuis staat te sudderen.

Simpele, geruststellende dromen.

De realiteit is heel anders. Onweer, kou, modder, angst, eenzaamheid. Woestijnachtige, onmetelijke uitgestrektheid.

Tegenslag.

Diane heeft haar rechterarm in het hengsel van de tas geklemd, bij wijze van steun. Ze heeft het gevoel dat de kogel zich verplaatst in haar vlees, omhoog en dan weer naar beneden gaat.

Heel veel pijn.

Ze draait zich vaak om om te kijken of iemand haar achtervolgt.

Zouden ze het hebben opgegeven?

Onmogelijk, dat weet ze heel goed.

Ze zullen haar niet laten gaan.

Het slechte weer maakt de dingen nog gecompliceerder. Het stimuleert de mensen niet om de heuvels in te gaan. Er zijn geen paddenstoelenplukkers, wandelaars, of jagers.

Niemand.

Leegte en angst.

Haar vermoeide adem die weerklinkt, haar schoenen die uitglijden in het slijk.

Haar ogen die branden, die schitteren.
Haar hart dat zwelt.

* *
*

Een jachthoorn laat het hallali schallen. Een weerzinwek-
kende huivering doet het bos en zijn bewoners verstijven.

De eerste honden komen rondom de vluchtelingen staan,
verder doen ze niets.

Eyaz pakt het pistool dat aan zijn riem hangt. Daarna
wendt hij zich tot zijn metgezellen.

Hij zal hier blijven, omdat hij weet hoe hij een wapen
moet gebruiken. Hij liegt, maar dat is helemaal niet meer
van belang.

Hij zal hier blijven, omdat hij zijn broer moet wreken,
omdat hij geen familie, geen land meer heeft. Niemand
meer heeft. Geen hoop meer, en ook geen verlangen.

Jullie, jullie hebben kinderen.

Succes en moge Allah jullie beschermen.

Remy doet zijn mond open om te protesteren. Maar er
komt geen woord over zijn lippen. Hij en Sarhaan blijven
een paar seconden verstard staan, terwijl de stoet recht op
hen afkomt. De honden hebben rechtsomkeert gemaakt,
teruggefloten door hun baas.

Eyaz glimlacht.

Alsof hij niet bang is of niets meer vreest.

Opschepper.

* *
*

Ze valt. Ze haalt haar handpalmen open aan de grond vol
keien en kiezels.

Ze heeft het gevoel een paar meter naar beneden te zijn

gevallen, op het beton te zijn verpletterd na van de tiende verdieping te zijn gesprongen. Ze heeft het gevoel in duizend stukjes te zijn gebroken.

Nee, ze is slechts op een steen uitgegleden en is voorover gevallen. Niets bijzonders. Een heel gewone val, die tragische proporties aanneemt.

Diane probeert overeind te komen, maar dat lukt haar niet.

Tranen, snikken. Op haar knieën, de ogen eerst op de grond gericht, en dan opgeheven naar de donkergrijze hemel.

Ze huilt en schreeuwt. Ze denkt niet meer aan voorzichtigheid.

Ze brult en laat alles eruit komen. Ze braakt haar verdriet, haar pijn, haar woede, haar haat uit.

Is het moment aangebroken?

Het moment waarvoor ze zo bang is geweest, waarop ze niet meer zal opstaan... Waarop ze het zal opgeven?

* **

Het geweer nadert langzaam zijn voorhoofd. Zijn ogen richten zich op de loop waaruit de dood elk moment tevoorschijn kan komen. Daarna gaan zijn ogen omhoog naar het gezicht van degene die het wapen vasthoudt, degene die hem gaat doden.

Zomaar, zonder duidelijke reden.

Terwijl hij hem niets heeft gedaan. Terwijl ze elkaar niet eens kennen.

Met zijn vinger aan de trekker neemt de moordenaar alle tijd. Hij geniet van dit moment waarop hij heeft gewacht, dat hij heeft gewenst, waarnaar hij heeft verlangd. Dramatisch en magisch.

De een ligt op zijn knieën, de ander staat rechtop. Ze staren elkaar lang aan, zwijgend.

Zal hij om genade smeken?

Nee, hij heeft begrepen dat dat vergeefs zou zijn. En hij heeft zelfs niet meer de kracht om iets te zeggen.

Waar wacht die man met het geweer nou op?

Een aarzeling doorklieft zijn blik, zoals een bliksemschicht de hemel. Er verschijnen een paar zenuwtrekkingen rond zijn halfgeopende mond.

Zijn ademhaling gaat sneller, zijn vinger aan de trekker verstijft.

De geknielde man sluit zijn ogen. Als een teken.

Het geweer verwijdert zich van zijn voorhoofd. De jager is er nog steeds. Hij heeft een stap achteruit gedaan en hij heeft zijn wapen een beetje laten zakken. Ongetwijfeld om zijn nog onvoltooide werk beter te bewonderen.

Ten slotte haalt hij de trekker over.

Zijn gezicht licht op, trekt krampachtig samen. Hij voelt iets in zich opwellen. Iets wat volkomen nieuw is, buitengewoon en krachtig.

Een ongekende sensatie.

Terwijl zijn slachtoffer in elkaar zakt, stijgt hij op naar de toppen. Zijn hoofd staat op het punt te imploderen. Zijn handen, zijn armen, zijn benen trillen. Hij wordt overmand door een diepe ontroering, die hem naar onbekende, angstaanjagende afgronden voert. Euforie opwekkende diepten.

Ziezo, hij heeft zojuist de laatste hindernis genomen om iemand anders te worden.

Hij kan zijn ogen niet afhouden van de man die aan zijn voeten ligt.

Van de man die hij zonet heeft gedood. Van zijn voltooide werk. Fantastisch.

Zijn gezicht ontspant, hij glimlacht.

Die dag wist Delalande dat hij het nóg eens zou doen. Dat dit misdrijf niet zijn laatste zou zijn.

Die dag voelde hij zich almachtig. Een superieur wezen. Een god met de hoogste macht: de macht om iemand van het leven te beroven. In staat om met één gebaar de simpele sterveling om te brengen.

Die dag proefde Delalande van een supersterke drug.

Lange tijd droomde hij van dit moment, en koesterde heimelijk dat morbide droombeeld.

Voortaan zal hij de klok niet meer kunnen terugzetten. Hij zal niet meer buiten dat weergaloze genot kunnen.

Het genot dat de reis verschaft die over grenzen heen gaat.

Voortaan is hij verslaafd, afhankelijk, voor eeuwig geketend.

Een uiterst verwarrende mengeling van leed en genot.

Terwijl Delalande de rest van de meute volgt, denkt hij terug aan die eerste verboden ervaring, die de loop van zijn leven heeft veranderd, dat toch al buitengewoon was. Voorbeeldig succes aan het hoofd van een multinational in cosmetica, een van de welvarendste van het land. Een man met macht, met invloed, die zijn rol moet spelen in de hoogste kringen van de staat.

Je zou kunnen zeggen dat hij alles bezit. Toch ontbreekt hem iets essentieels. Op dit moment is zijn leven absoluut vervuld.

Vanavond of morgen zal hij zijn vrouw terugzien, die niets in de gaten heeft en denkt dat hij gewoon aan het jagen is. Hij zal zijn dierbare kind terugzien, dat hem bewondert en hoogacht.

Overmorgen zal hij zijn toegewijde, slaafse en bange medewerkers terugzien. Hij zal weer een bijzondere man worden op wie iedereen jaloers is. Een boeiende man.

Niemand zal zich kunnen voorstellen wat hij werkelijk is, wat zijn échte macht is.

Delalande hoopt dat het nu zijn beurt is. Maar hij weet dat het moment dat voorafgaat aan de daad het beste moment is. Van de mensenjacht, om precies te zijn. Hij kijkt om zich heen. Deze plek, die hij begint te kennen, waar de intense herinneringen aan zijn vroegere jachtpartijen ontstaan en beginnen te groeien.

Herinneringen aan zijn vroegere euveldaden.

Aan zijn vroegere misdrijven.

Want ja, het gaat wel degelijk om moorden. Dat beseft Delalande heel goed. Moorden die met voorbedachten rade zijn gepleegd, zonder motief.

Zonder beweegreden, echt waar?

Toch is er een: het weergaloze genot.

Straks zal hij opnieuw beginnen. Hij zal er nooit mee ophouden.

Anders zou híj wel eens kunnen sterven, bezweken onder het gemis.

14

De Lord steekt zijn arm in de lucht. De stoet houdt halt, geflankeerd door de meute superopgewonden honden, die weer zijn aangelijnd.

Dankzij zijn verrekijker ziet de Lord dat de neger en de zwerver naar de vijver vluchten, vlak voordat ze in het droge, hoge gras verdwijnen.

De Lord vraagt zich af waar de derde is. Dat is natuurlijk degene die met zijn voet in de wolfsklem is getrapt. Maar ook degene die het wapen in handen heeft, en bereid is zich op te offeren om de twee anderen – tijdelijk – te redden.

Het is de eerste keer dat de Lord zo'n solidariteit ziet onder prooien. Verbazingwekkend... Bijna ontroerend. Voor zover hij ooit door iets geraakt kan worden. Echt geraakt, niet alleen maar aan de oppervlakte, zoals het briesje het water beroert, zonder naar de bodem te gaan.

Vaak vraagt hij zich af of hij geen dikke laag leer onder

zijn huid heeft, een onzichtbaar harnas. Of een aangeboren afwijking die hem ongevoelig maakt.

Hij pakt zijn wapen. Waar is de Kaukasiër gebleven?

Zijn vader was dokter in Grozny, zijn moeder verpleegster. In zijn jeugd heeft Eyaz slechts oorlog en terreur gekend. Bombardementen, militaire aanvallen, systematische executies zonder vorm van proces, martelingen, verkrachtingen, onrechtmatige opsluitingen.

Toekomstplannen vergeten. Alleen maar bidden om een volgende dag.

Sovjettanks en daarna Russische. Jachtvliegtuigen, helikopters.

Het gezang van raketwerpers, bij wijze van wiegeliedje.

Explosies, antipersoneelmijnen, uiteengereten lichamen, ingewanden in de zon. Lijken die worden opgegeten door ongedierte of aasgieren of gewoon door uitgehongerde honden.

Ontbinding in de openlucht.

Vrijheid in ontbinding.

Op de leeftijd waarop kinderen kleurplaten verzamelen, grappig of lief, verzamelde Eyaz ondraaglijke beelden.

Zijn ogen zijn eraan gewend. Of bijna. Er zijn dingen waar je nooit aan went.

Op de leeftijd waarop kinderen van welgestelde ouders zich geborgen weten, was zíjn leven vol angst. Zich verbergen... Alles en iedereen wantrouwen.

Alledaags geweld dat de hele wereld volledig koud laat.

Etnische zuivering, bloedbaden, zonder dat het iemand iets kan schelen.

Als reactie: terrorisme, verzet, gijzelingen.

Zozeer dat Eyaz niet meer wist wie de slechte mensen waren in dit verhaal zonder einde.

De Russische soldaten? Verslaafd aan drank móésten ze gewoon drinken om hun eigen gedwongen gewelddadigheden te verdragen?

Zij die niet het recht hebben om te deserteren... Met geweld betrokken bij een strijd waarmee ze niets te maken hebben, bij een oorlog die van tevoren al is verloren.

Want nooit zullen de Tsjetsjenen zich laten overheersen, koloniseren of ringeloren.

Dan gaan ze nog liever dood.

Dus plaatsen ze bommen, doden ze burgers, vrouwen en kinderen.

Ze worden uitgemaakt voor terroristen. Maar doen de Russen niet hetzelfde? Dezelfde bloedbaden, maar op grote schaal en met zware wapens. Dat is het verschil.

Aan de ene kant is het terrorisme. Aan de andere kant een oorlog.

Wie kan hem het verschil uitleggen?

Wie kan hem verzekeren dat de zelfmoordterroristen helden zijn? Dat zij de prijs zijn voor de vrijheid van zijn volk?

Wie kan zweren dat Russische kinderen moeten worden opgeofferd om Tsjetsjeense kinderen te redden? Of gewoon om hen te wreken...

Hoe kan die duivelse vicieuze cirkel worden doorbroken?

Eyaz haalt de veiligheidspal van het pistool af.

Er is slechts één probleem, niet onbelangrijk: hij heeft nog nooit in zijn leven een wapen gehanteerd. Hij beseft dat het niet zo simpel is als het lijkt. Toch heeft hij veel wapens gezien. Te veel, zonder enige twijfel. Daarom heeft hij altijd geweigerd er een te gebruiken.

Tot vandaag.

Tot deze dag, waarop zijn hand trilt.

Zal het hem lukken om iemand van het leven te beroven? Om het onherstelbare te begaan, ook al zijn de doelwitten meedogenloze monsters, moordenaars? Zal hij er ook een worden, vlak voor zijn dood?

Was Hamzat er nog maar... Hij zou weten hoe hij het pistool moest gebruiken. Hij, die bij het verzet wilde, om aan de zijde van de zijnen voor de vrijheid te vechten. Tegen de onderdrukking.

Hij, die voortaan op de bodem van een modderige vijver zal liggen. Voor altijd verzwolgen.

Eyaz is bereid zich bij hem te voegen.

Eyaz, die er uiteindelijk beter aan had gedaan om zijn jongere broer naar de Tsjetsjeense tegenstanders te laten gaan. Dan was hij als held gevallen, niet als prooi. Het hele volk zou hem eer hebben bewezen, zoals al hun martelaren.

Welke eer zal hij nú ontvangen? Wie zal zich hem herinneren? Wie zal zijn heldendaden vertellen, wie zal hem prijzen?

Maar Allah zal hem ontvangen te midden van de zijnen, daar is Eyaz van overtuigd.

Zijn hand houdt op met aarzelen en omklemt de zware kolf. Zijn vinger strijkt al langs de trekker.

De leider van de stoet neerschieten, dát is zijn doel. Als hij hem doodt, zullen de anderen het vast en zeker opgeven... Altijd de generaal ombrengen om de troepen te ontmoedigen.

Hij probeert zo goed mogelijk te richten.

Moet hij wachten tot de Lord nog dichterbij is, op het gevaar af te worden ontdekt? Of nú schieten?

Hij haalt de trekker over. Hij heeft niet verwacht dat de terugstoot hem naar achteren zou werpen. Hij wankelt en valt van de boomtak waarop hij is geklommen.

Harde landing...

Het paard van de Lord zakt ineen onder pathetisch gehinnik. Zijn berijder ligt klem onder het gewonde dier, waarvan de benen in de lucht zwaaien. Met hulp van zijn knechten wurmt hij zich los.

Intussen zijn de klanten afgestegen om snel naar de bomen te rennen en zich erachter te verschuilen.

Eersteklas jagers, die zich laten neerknallen als gewone konijnen!

Die zich uit de voeten maken, zoals gewone konijnen.

Eyaz gaat staan, een beetje versuft. Hij heeft het idee dat hij een klap met een knuppel op zijn achterhoofd heeft gekregen.

Hij wankelt een beetje, raapt ten slotte het wapen op en maakt zich klein achter een enorme eik.

Nog eens proberen.

Tweede schot. Hij slaagt erin om een van de volgers te raken, die in het stof bijt. De Tsjetsjeen slaakt een overwinningskreet.

De derde kogel suist door de lucht en raakt niemand.

Eyaz heeft zich een beetje blootgegeven, opgezweept door zijn triomf.

Een beetje is al te veel.

De Lord heeft hem opgemerkt.

Een kogel verbrijzelt Eyaz' schouder. Hij valt om.

Hij ziet vaag de hemel door kale takken en vrijwel dode bladeren heen. Vreemde lichten schitteren voor zijn halfgesloten ogen. Veelkleurige vlekken die dansen in een mysterieus ballet... Fonkelingen... Insecten die om zijn gezicht gonzen, waar kleine feeën boven hem fladderen...

Na een paar seconden keert hij terug naar de realiteit en kruipt over de rulle grond naar zijn pistool. Op het moment dat hij het wil vastpakken verplettert een laars zijn vingers.

Hij slaakt een kreet, terwijl hij zijn hoofd optilt.

'Je had niet op mijn paard moeten schieten...'

De Lord glimlacht, zoals altijd. Misschien een vervorming van zijn gezicht, om zijn ware aard te maskeren? Hij maakt zich meester van het pistool en beveelt Eyaz te gaan staan. Intussen komt de rest van de stoet dichterbij. Ze zijn nergens meer bang voor, ze kunnen de *kill* bijwonen. Per slot van rekening hebben ze niet zoveel geld betaald om zich met groot kaliber te laten beschieten.

Eyaz staat pal. Hij houdt zijn verbrijzelde schouder vast.

De Lord is verbaasd. Het been van de Tsjetsjeen is ongedeerd. Als híj de gewonde niet is, waarom heeft hij dan de held gespeeld? Dat simpele detail stoort hem.

Hij draait zich om, in afwachting van een vrijwilliger.

Wie is er aan de beurt?

Zoals afgesproken is dat de mooie Oostenrijkse. Ze komt naar voren. Eyaz staart naar het wapen dat ze in haar tere handen houdt.

Een indrukwekkende kruisboog.

Hij deinst voorzichtig terug, maar hij blijft de moordenares met haar wreed schitterende blik aankijken.

Er daalt een vijandige stilte neer in het bos. Iedereen houdt zijn blik gericht op de kruisboog, waarmee ze dreigend zwaait.

Zal ze het doen? Zal ze de sprong wagen en voorgoed omzwaaien naar de andere kant? Een deur openen die ze nooit meer zal kunnen sluiten... Een voet in de leegte zetten, afdalen naar de onderwereld of opstijgen naar de zevende hemel...

Een crimineel worden.

Doden. Vermoorden.

Ze aarzelt zichtbaar. Of ze neemt slechts de tijd om te genieten van dit unieke moment. Niemand zal dat ooit weten...

Plotseling begint Eyaz te praten in zijn moedertaal. Met ietwat hortende stem, een beetje gebroken door het lijden.

Maar wel met een vurige stem, hartstochtelijk.

Stoutmoedig. Brutaal. Trots.

Nieuwsgierig luistert de Oostenrijkse naar hem, als het ware gehypnotiseerd door zijn krijgslied.

Het Tsjetsjeense volkslied.

De nacht waarin de wolven geboren zijn,
Vlak voor de dageraad begon, brulden de leeuwen.
Toen zijn we aangekomen,
Uit de schaduw van de tijd, in deze vijandige wereld.
Sindsdien kan niemand ons velen.
Maar we hebben onze waardigheid behouden.
In de loop der eeuwen hebben we standgehouden
In het gevecht, de vrijheid of de dood.
En zelfs als de rotsige bergen
Branden in het vuur van het gevecht,

Is er niet één horde ter wereld
Die ons op de knieën krijgt.

De metalen pijl treft hem midden in zijn borst. Eyaz valt op de knieën. Met trillende hand trekt hij de pijl weg die in zijn long is blijven steken. Een reflex, meer niet.

Hij heeft geen kracht meer om te schreeuwen. Hij kijkt slechts hoe zijn bloed, vuurrood, zijn handpalm, zijn huid overspoelt en tussen zijn vingers door stroomt. Zich verheffen uit zijn stervende lichaam. Het loslaten...

Eyaz was een zachtaardige, intelligente jongen. Een beetje dromerig. Gezeten op een maan die alleen maar van hem was. Ja, hij slaagde er nog in om te dromen te midden van de bommenregen en het angstaanjagende geluid van de explosies. Maar was de droom niet zijn enige toevlucht?

De droom of de waanzin...

Eyaz wilde dichter, schrijver of journalist worden.

Niets anders.

Op een dag verdwenen zijn ouders. Een maand later werden ze teruggevonden in een massagraf aan de rand van Grozny. Te midden van tientallen andere lijken.

Eyaz was toen nog geen vijftien. Hij stopte zijn droombeelden in een geheim laatje en zorgde voor zijn broertje, Hamzat.

Vergeten waren de dromen. Vergeten was zijn jeugd.

Wat overbleef, waren de angst, het dagelijkse geweld en de honger.

En een paar jaar later was er die hoop, een beetje dwaas. Naar het land van de lichten, het land van de rechten van de mens gaan.

Het eldorado, waar ze eindelijk in vrede zouden kunnen leven.

Waar hij eindelijk dichter, schrijver of journalist zou kunnen worden. Of iets anders, het deed er eigenlijk weinig toe.

Waar hij eindelijk zou kunnen leven. In plaats van overleven...

Het eldorado waarin hij zojuist is gekastijd.

De Oostenrijkse schiet een tweede pijl af, die in zijn hart belandt, dat al sinds lange tijd is gebroken. Daarna een derde, die dwars door zijn keel gaat.

Ten slotte zakt hij op zijn zij in elkaar. Zonder een kreet, een geluid, een klacht zelfs. Op zijn lippen is de smaak van bloed vermengd met de aarde van een land dat niet het zijne is.

Van een land dat hem heeft doen dromen, lang geleden.

De vrouw, die over hem heen gebogen staat, streelt zijn haar. Zoals ze de vacht zou strelen van een dier dat ze net heeft gedood.

Maar Eyaz kan maar niet sterven.

Het kost hem seconden, minuten.

Langzaam vervaagt het geluid van de bommen. De slechte herinneringen verliezen hun scharlakenrode kleur en dan verbleken ze.

Om voorgoed te verdwijnen.

Eindelijk rust.

De Lord loopt naar zijn gewonde paard, dat stervende is.

Hij laadt zijn geweer. Eén kogel door zijn hoofd, een laatste stuiptrekking.

Dan pas gaat de Lord hulp verlenen aan zijn knecht.

Te laat. De Tsjetsjeen heeft de man midden in het hart getroffen.

We zijn vrij opgegroeid, samen met de adelaars uit de bergen hebben we de moeilijkheden en de hindernissen waardig overwonnen.

De granieten rotsen zullen eerder smelten als lood dan dat we onze waardigheid in leven en strijd zullen verliezen. De grond zal eerder door de zon worden gespleten dan dat we onze eer in de ogen van de wereld zullen verliezen. Nooit zullen we ons aan iemand onderwerpen, tussen de dood en de vrijheid kunnen we slechts één weg kiezen.

15

15.30 uur

Bij elke ademhaling een intens branderig gevoel.

Bij elke beweging intense pijn.

Diane slaagt er toch in om overeind te komen. Hoe? Met wat voor krachten? Wat voor wil?

Met die van haar. En niets anders.

In God gelooft ze niet.

Eén stap, nog een. Daar dwaalt ze weer over de paden van Lozère. Daar staat ze weer rechtop, met opeengeklemde kaken, en een lijf vol haat. De haat die zich koppelt aan de angst en het overlevingsinstinct om haar afgematte lichaam te steunen. Zoals pijlers de gewelven van de imposantste bouwwerken dragen en steunen.

Diane is indrukwekkend. Vanwege haar vastberadenheid, haar moed.

Haar rechterarm bestaat niet meer. Ze kan hem beter vergeten. Dus heeft ze hem in gedachten geamputeerd.

Er bestaat niets meer behalve de kilometers die ze nog moet afleggen.

Ze kijkt niet meer naar achteren, alleen naar voren. Naar de horizon.

Ze schenkt geen aandacht meer aan verontrustende geluiden, alleen maar aan het kloppen van haar uitgeputte hart.

Ze ruikt niet meer de geuren van vochtige aarde, van de naderende winter, van de roofdieren die haar achtervolgen.

Ze is alleen op de wereld.

Zo alleen.

Moederziel alleen.

In de steek gelaten.

*_**

Remy huilt. Hij is al aan het huilen sinds...

Sarhaan blijkt discreter te zijn, maar hij verwijt Remy niets. Hij begrijpt het.

Hij begrijpt het altijd...

Waarom Hamzat? Waarom Eyaz?

Waarom wíj?

Toeval? Lot?

De honden zijn even hun spoor kwijt. Eyaz heeft ze zo beziggehouden dat de twee vluchtelingen de sporen kunnen uitwissen door zich een weg te banen door het koude water van een beekje.

Maar de honden zullen hen spoedig terugvinden. Dromen is zinloos. Trouwens, geen van de twee mannen zal ooit meer dromen.

Nachtmerries, dat is alles. Voor eeuwig nachtmerries.

Maar waar zijn ze schuldig aan? Een paar foutjes, stommiteiten of nalatigheden bakenen hun levensloop af.

Waarom zo'n zware straf? Waarom hebben ze geen recht op verzachtende omstandigheden, op clementie van de rechters?

Remy kan zich er niet van weerhouden zich dat af te vragen. Hij zou het graag willen weten.

De waarheid, die je je hele leven lang zoekt, zonder haar ooit te vinden.

De miljarden vragen die onbeantwoord blijven, sinds generaties, eeuwen, millennia.

'Denk je dat hij dood is?' vraagt Sarhaan plotseling, met een aandoenlijke, kinderlijke klank in zijn stem.

Remy wrijft zijn ogen droog en knikt.

'Ja. Natuurlijk is hij dood.'

'Dood... Hoe denk je dat ze hem hebben gedood?'

Remy heeft het gevoel dat zijn keel wordt dichtgeknepen.

'Ik weet het niet... Ik weet het niet, verdomme!'

Sarhaan zwijgt even. Dan zegt hij: 'Hij wilde het.'

'Wat?'

'Sterven, hij wilde dood...'

'Ik weet het niet.'

'Ik wél,' zegt de neger, alsof hij zichzelf probeert te overtuigen. 'Hij verlangde ernaar. Ik geloof dat hij het allemaal niet meer kon verdragen... Hij had te veel gezien. Hij wilde vergeten...'

'Misschien...'

Remy blijft staan. Hij haalt diep adem met een van pijn vertrokken gezicht. Zijn been doet ontzettend zeer. Alsof de metalen tanden nog steeds om zijn enkel zitten, alsof ze nog steeds in zijn vlees bijten.

Zijn spieren zijn moe, zo moe.

Zijn hoofd is zwaar, zo zwaar.

'Het moet fijn zijn om te vergeten,' mompelt hij. 'Dat moet goeddoen...'

'Ja,' geeft Sarhaan toe.

Hij zou ook graag willen vergeten. Wat hij is, wat hij heeft doorstaan, wat hij heeft gedaan.

Ten slotte zegt hij tegen zichzelf dat de dood zo erg nog niet is. Een beetje eerder dan verwacht, dat is alles. Het enige wat hij betreurt, is dat hij Salimata nooit meer zal zien.

* *
*

Ze naderen het doel. Weldra zullen ze op het langeafstands-wandelpad zijn, waar ze alleen maar op de loer moeten gaan liggen voor hun prooi.

Hugues en Gilles blijven achter. Severin stopt even om op hen te wachten, terwijl Roland doorgaat, nog steeds in hetzelfde ritme, of bijna. Ook hij toont tekenen van ver-slapping.

'Schiet op!' bromt Severin.

De twee mannen voegen zich eindelijk bij hem. Ze komen weer op adem.

'Papa, zullen we naar huis gaan?'

Granet kijkt zijn zoon stomverbaasd aan.

'Dat kan niet. Dat weet je best.'

'Maar...'

'We moeten dat meisje zien te vinden! Anders zijn we de pineut!'

'Ben je van plan haar te doden?' vraagt de waard zacht-jes. 'Ben je gek geworden of zo?'

Severin aarzelt. Hij richt zijn blik op de wolken die zich aan de omringende heuveltoppen vastklampen. Hoopt hij dat die dierbare heuvels hem het antwoord zullen toefluisteren?

'Misschien kunnen we haar voorstellen een deal te sluiten… Geld!' antwoordt hij ten slotte.

'En daarna?' roept Roland Margon uit, inmiddels op zijn schreden teruggekeerd.

De drie mannen, die op heterdaad betrapt zijn op een samenzwering, zijn even hun stem kwijt.

'Willen jullie haar poen aanbieden?' vraagt de apotheker. 'Goed, stel dat ze het accepteert… Wie zegt ons dat ze er over een maand of over een jaar niet over zal praten? Wie bewijst ons dat ze eeuwig zal zwijgen? Of dat ze ons niet tot aan het eind van ons leven zal chanteren?'

'Als we haar bedreigen, zal ze te bang zijn om te praten!' zegt Hugues, met zijn laatste krachten.

'Zie je wel!' grinnikt Roland. 'Er is maar één manier om dit probleem op te lossen, en dat weten jullie.'

'Ik wil en ik kan niet meer,' verzucht Granet junior. 'Ik heb mijn knie verrekt. Het lukt me niet meer om…'

'Hou je bek!' onderbreekt Margon hem. 'Wil je 'm soms smeren? Wil je ons het vuile werk laten opknappen? Ik herinner je eraan dat jíj die klootzak hebt koud gemaakt! Ik wijs je erop dat we hier zijn vanwege jóú! En nu wil je naar húís?'

'Nee, dat is het niet. Ik zei toch dat mijn knie is verrekt!'

'Je doet mee tot aan het eind,' verkondigt Roland op ijskoude toon. 'Desnoods pak ik je bij je lurven en sleep ik je mee, begrepen? Samen uit, samen thuis… De eerste die probeert er stilletjes vandoor te gaan, zal ik de nek omdraaien en in de put gooien bij die andere stomme-ling!'

Plotseling richt Gilles zijn wapen op de apotheker.

Een paar seconden van aarzeling.

Margon geeft geen kik. Hij beperkt zich ertoe naar het geweer te staren, zonder een spier te vertrekken.

Hugues begint te hopen. Mijn god, schiet dan... Schiet!

'Laat je wapen zakken,' beveelt de vader abrupt.

Iedereen schrikt van zijn stem.

Iedereen, behalve Roland, die nog steeds onbewogen is.

'Ik ben je zo langzamerhand strontzat!' schreeuwt de jongeman, terwijl hij met verwilderde ogen naar zijn doel-wit kijkt. 'Ik wil niet meer!' Zijn grove gezicht is verwrongen. Toch glimlacht Roland. Hij loopt onverschrokken naar de loop van het geweer en raakt dan Gilles' romp aan.

'Vooruit, schiet... Waar wacht je op?' zegt hij.

Gilles klemt zijn lippen op elkaar en begint te trillen.

Roland rukt het geweer uit Gilles' handen en geeft hem een kaakslag. Junior verliest zijn evenwicht en valt op de grond.

'Ik wist wel dat je het niet zou doen, teringlijer!' roept de apotheker. 'Het is niet makkelijk om op een vent te schieten, hè? Je hebt er het lef niet voor! Dat heb je trouwens nooit gehad!'

Gilles buigt zijn hoofd. De apotheker gooit zijn wapen naar hem toe. Ultieme vernedering. Hij heeft niet eens de moeite genomen het geweer te ontladen.

'En nu lopen we weer verder,' zegt hij droogjes. 'Over een uur is alles achter de rug!'

.

De Lord doet er het zwijgen toe. Zelfs de sensuele lichaamsvormen van de Oostenrijkse kunnen hem niet meer afleiden. Toch heeft hij zich er zojuist niet van kunnen weerhouden haar te bewonderen. Haar vastberadenheid, haar woestheid, haar bruutheid.

Maar deze dag verloopt niet volgens verwachting.

Een klant in het ziekenhuis, zijn paard dood, plus een van zijn trouwe knechten.

Is het misschien een te zware jacht?

Nee, uiteindelijk is er niets ernstigs aan de hand.

Híj is nog in leven.

Een knol kan worden vervangen. De klant in het ziekenhuis zal wel genezen, of de pijp uit gaan. Geen groot verlies voor de mensheid, die Balakirev!

Een nieuwe knecht vinden is geen probleem. Wanhopige kerels, tot alles bereid om geld te verdienen, zijn er in overvloed. Sommigen zouden wat dan ook doen om niet weg te rotten in de bajes, vooral als die gevangenis in een bananenrepubliek staat of in Oost-Europa.

Kortom: niets onherstelbaars.

Voorlopig. Want hij begint zich af te vragen wat de middag voor hem in petto heeft...

Er zijn nog twee doelwitten over, twee klanten die hij tevreden moet stellen. Ze wachten op hun portie, hun shot, hun spuit. Als ze geen waar voor hun geld krijgen, zullen ze weigeren naar huis terug te keren.

Een dealer moet stuff leveren. Zijn deel van het contract nakomen. Desnoods tot aan een overdosis, als dat de wil van de consument is!

Hij blijft zelfverzekerd. Er is hem nooit een prooi ontglipt. Het is slechts een kwestie van tijd. Een van de twee vluchtelingen is gewond. Zwaar, zonder enige twijfel. Toen hij een halfuur eerder door zijn verrekijker keek, leek de zwerver te strompelen. Hij is dus de volgende op de lijst. De volgende die als prooi moet dienen.

De volgende die de arena moet betreden voor het genot van de bevoorrechte toeschouwers. Voor het wildedieren-festijn.

Daarna zal het de beurt zijn van de grote neger. Als toe-tje een negerzoen, zou dat zwijn van een Balakirev spot-tend hebben gezegd.

En hierna pauze tot het volgende barbaarse schouwspel. Tot de volgende jacht. In de lente. Twee per jaar. Zo kan hij een aanzienlijk kapitaaltje vergaren zonder zich te ver-moeien. Terwijl hij zich ook nog eens vermaakt!

Wat wil een mens nog meer?

Toch is zijn leven niet bevredigend.

Zijn leven...

Het lijkt soms zo hol, zo leeg.

Niet banaal, nee. Ook niet een sleur.

Hij is stinkend rijk en reist naar alle hoeken van de we-reld. Hij woont in een prachtig huis. Hij verkeert in een benijdenswaardige positie en kan zich zonder enige beper-king aan zijn passie wijden.

De eenzaamheid, die heeft hij gekozen... Soms valt ze hem zwaar. Soms verfoeit hij haar. Maar niet zo erg als hij anderen verfoeit.

Hoe moet je iemand verdragen in je leven? Iemand die meer is dan een toevallige passant? Iemand die niet in de vroege ochtend of aan het eind van het weekend vertrekt. Die zich nestelt in je dagelijkse leven en er een persoon-lijke touch aan geeft. Iemand die onder je duiven schiet, je leefruimte overspoelt en je dierbare stilte verbreekt. Je aanspoort je hart uit te storten, terwijl je dat alleen maar tegen jezelf hebt gedaan.

Hij had gedacht dat zijn passie, zijn beroep en zijn vermogen zijn bestaan zouden vullen zonder er een leegte in achter te laten.

Hij had gedacht dat avontuurtjes met zorgvuldig uitgekozen vrouwen voldoende voor hem zouden zijn. Dat hij nooit naar meer zou verlangen.

Maar de laatste tijd voelt hij het gemis heel sterk.

De eenzaamheid. Waarschijnlijk het lot van ieder bijzonder mens die boven de massa uitsteekt.

Het lot van de elite.

Hij kijkt opzij, naar de Oostenrijkse. Trots profiel, waardige houding, sensuele vormen, maar zonder de overdaad aan edelmoedigheid waarvan hij een afkeer heeft. Hij houdt van de koelheid, het ijs waaruit ze lijkt te zijn gehouwen, door een kundige beeldhouwer. IJs waaronder een vuur brandt, een ware hartstocht.

Ze lijkt hem volmaakt. Of bijna.

Want niets is volmaakt in deze wereld. In dit ondermaanse waarin hij gedwongen is rond te dwalen.

Het leven en zijn ondraaglijke uitspattingen. De gevoelens, de emoties die je vastketenen, je belemmeren, je afremmen en verzwakken.

Je bezoedelen.

De onvolmaaktheden die de mens zo uitstekend samenvatten.

De geboorte is al een bloedbad.

Het leven, een bron van problemen.

Is de dood een bron van verjonging? Dat zou hij aan zijn

prooien moeten vragen! Maar ze kunnen natuurlijk nooit antwoorden...

Al wat leeft boeit hem zozeer dat het hem afkeer inboezemt. Een tegenstrijdigheid die hij nooit heeft kunnen uitleggen.

Eigenlijk zou hij een psychiater moeten raadplegen, zoals de meeste mensen...

Nee, niet zoals de meeste mensen. Want er zijn er niet zoveel die mensenjachten organiseren!

Maar hoeveel zouden er zin in hebben? Hoeveel zouden eraan deelnemen als de gelegenheid zich voordeed? Als de immuniteit was verzekerd? Zijn klanten moeten rijk zijn, simpelweg omdat hij veel geld vraagt. Maar als het werd aangeboden?

Je hoeft maar naar mensen te kijken om je ervan te overtuigen. Gratis moorden. De excessen die door elk leger worden begaan in de marge van elk willekeurig conflict. Lynchpartijen door woedende menigtes. Nieuwsgierigen die openbare terechtstellingen bijwonen. De gezamenlijke fascinatie voor het morbide, het macabere, het bloederige.

De gelegenheid maakt de dief. Het kleinste vonkje kan de laagste instincten bij zijn medemensen doen ontvlammen. Bij alle medemensen? Op die vraag heeft hij nooit antwoord kunnen geven. Hij vraagt het zich nog steeds af.

Híj heeft de dood in de aderen, in de genen. Vernietigen, afslachten, domineren, doden. Elimineren.

Genieten.

De wereld zuiveren van het hele leven, dat weerzinwekkend en misselijkmakend is.

Die irritante stommiteit.

Je voet zetten op het ijverige ongedierte. En het verpletteren.

Als puber kreeg hij plotseling een inzicht. Het was in een kerk, tijdens de mis waar zijn vader hem elke zondag mee naartoe sleepte.

Het was op het moment dat de pastoor hem de hostie wilde geven en wachtte tot de jongen gewillig zijn mond opendeed, onder de dode ogen van de Gekruisigde. Juist op dat moment zei hij tegen zichzelf dat Lucifer hem had uitgekozen om zijn Woord op aarde te verkondigen. Om bij de anderen het verlangen naar het kwaad op te wekken, ze aan te sporen tot het criminele, tot het verachtelijke. Hen te dwingen hun gal te spuwen, en hun ware aard te tonen, hun talrijke, aangeboren perverse neigingen.

Hun voorliefde voor bloed, moord, afslachten en macht.

Zolang als hij zich kan herinneren, heeft hij slechts één verlangen gehad: vernietigen. Hoe kon je die voorliefde anders uitleggen?

Zolang als hij zich kan herinneren, heeft hij nooit liefde en tederheid gevoeld voor wie dan ook. Behalve voor zichzelf.

De enige keer dat hij heeft gehuild, was na de dood van zijn eerste hond.

· Bij de begrafenis van zijn vader is hij onbewogen gebleven. Hij respecteerde zijn vader, maar hij hield niet van hem. Wat zijn moeder betreft, hij heeft geen enkele herinnering aan haar. Ze is verdronken in een van de vijvers van het landgoed, kort na zijn geboorte. Ongeluk? Zelfmoord? Moord? Hij heeft het nooit geweten en hij zal het nooit weten ook. Zijn vader heeft altijd geweigerd iets over het drama te vertellen, hem enige uitleg te geven. Maar hij wist het. Dat is zeker.

Toen hij als kind eens aan de rand van die dodelijke vijver zat en naar de modder staarde, zei hij tegen zichzelf dat zijn moeder misschien uit wanhoop een einde aan haar leven had gemaakt. Na de ontdekking dat ze een monster had gebaard.

Hem.

Hij had zin om zich bij haar te voegen, en liet zich langzaam in het koude water zakken.

Een van de knechten van zijn vader kon hem er op het nippertje uit trekken.

Daarna heeft hij nooit meer een poging gedaan. Hij heeft de knecht die hem had gered twee dagen na de dood van zijn vader ontslagen.

Nee, hij heeft nooit van iemand gehouden...

Trouwens, wat is liefde?

Hij is anders dan anderen, daar is hij zich heel goed van bewust.

In plaats van zich er ongerust over te maken heeft hij er de voorkeur aan gegeven om zich erop te beroemen en het medelijden over te laten aan de zwakken. Hij vermijdt het om ook maar één seconde te overwegen of hij soms ziek is. Het idee van krankzinnigheid is nooit bij hem opgekomen.

Op die regenachtige zondag vond hij dus een heldere verklaring voor zichzelf, terwijl hij neerknielde voor het altaar, tegenover het witte koorhemd van de priester.

Alles werd duidelijk.

De drager van het licht, Lucifer.

Die hij voor zichzelf als gids, als meester had uitgekozen. Zoveel boeiender dan die andere, die door iedereen werd aanbeden.

Zwakke, angstige schapen. Willoos. Alledaags, zonder

echte ambitie. Die naar de mis gaan en berouw tonen, zo makkelijk! Het goddelijke vlakgom om de vermeende zonden weg te gummen. Zelfkastijding, gruwelijk!

Schurftige schapen, die de kudde volgen over het afgebakende rechte pad. Uit angst te worden verbannen, uitgestoten. Die hopen ooit met vreugde het vette, smakeloze gras van het paradijs af te grazen.

Ja, de hel moet, als er soeverein wordt geregeerd, de mooiste plek van het heelal zijn.

En hij verdient de hel, meer dan wie ook.

Misschien zal hij eindelijk iets van zijn formaat vinden, als hij aan de rechterhand van zijn Heer zit. Als hij zijn laatste doel heeft bereikt.

Een echte demon worden, die niet door een materiële overweging in verwarring zal worden gebracht.

Daarom bidt hij nog steeds elke zondag in de kerk. Als een stille uitdaging. Een triomfantelijke leugen.

Dat is wat hij met klem aan zijn hoogste gids vraagt.

Ja, op zijn dertiende werd het een zekerheid die hij in zich heeft verborgen. Als een kracht.

Het verduidelijkte zoveel onbegrijpelijke dingen.

Soms twijfelt hij, natuurlijk. Hij is geen puber meer… Hij twijfelt, zoals elke gelovige.

Lucifer en God bestaan misschien niet. Mooie, verzonnen verhalen om de volken te onderwerpen, om het aardse leven te verzachten. Om de angst voor de dood te verkleinen.

Hoe dan ook, hij heeft op zijn beurt het recht om mooie verhalen te verzinnen.

Hij glimlacht tegen de Oostenrijkse, die zijn glimlach beantwoordt.

Vannacht, hij weet het zeker, zal ze bij hem blijven.

Hij heeft zijn doel bereikt. Hij heeft gewonnen. Voor de zoveelste keer.

Zal iemand ooit weerstand aan hem kunnen bieden?

₊

In de schemering verandert het landschap. Het zinkt weg in het duister. De dag is heerlijk geweest, onvergetelijk. Sprookjesachtig. Een dag om hand in hand rond te slenteren, doelloos. Een hele dag om het verleden op te roepen door zich een toekomst voor te stellen.

Uren die zo snel verstrijken.

De liefde bedrijven, alleen maar door elkaar met de ogen te verslinden en elkaar licht aan te raken. En te dromen van wat er 's nachts zal gebeuren.

Hij zit achter het stuur, en concentreert zich op de weg.

Zij kijkt naar hem, terwijl hij naar de bochtige, geasfalteerde weg staart.

Ze kijkt naar hem, vol passie en verlangen.

Plotseling merkt hij het, alsof de intensiteit van die blik hem derdegraads verbrandt. Hij draait zijn hoofd opzij, heel even, om het te controleren. Dan kijkt hij weer voor zich, met een teder glimlachje om zijn lippen.

De glimlach waar ze zoveel van houdt.

Het gezicht waar ze zoveel van houdt.

Soms werd Diane wakker om naar hem te kijken terwijl hij sliep. Ze kon dat uren volhouden, alleen maar haar blik over zijn huid en zijn lichaam laten dwalen.

Hij merkte er natuurlijk niets van.

Hij bleef slapen, diep.

Hij bleef haar negeren, hoogmoedig.

Maar ze hoopte niet dat hij wakker werd. Verwachtte

niets anders dan zijn aanwezigheid. Het geluid van zijn ademhaling, de onbewuste bewegingen van zijn lichaam. Ze probeerde zijn dromen te raden, en hoopte dat ze er ook een plekje in zou hebben...

Ze wilde gewoon verifiëren of het geen droom was. Dat zij inderdaad bofte omdat ze hem op haar weg had gevonden en hem aan haar zijde had, in hetzelfde bed, hetzelfde leven.

Dan kroop ze dicht tegen hem aan, sloot haar ogen en viel weer in slaap.

Op een herfstavond kwam ze terug van een drie dagen durende opdracht in Italië.

Hij was er niet meer. Evenmin als zijn spullen. Wat over was waren alleen zijn sporen. De herinneringen.

En de leegte.

Angstaanjagend.

De schok, van een zeldzame heftigheid, die beloofde te worden gevolgd door een vreselijke pijn, met een levenslange nawerking.

Ze ging zitten, midden in de zitkamer. Midden in de ramp. Ze kon het niet geloven.

In haar hand hield ze de brief die ze op de salontafel had gevonden. De brief, of liever, de paar regels. Onbegrijpelijk.

De eerste zin is dodelijk. *Ik denk dat het beter is dat we uit elkaar gaan...*

De tweede is nog erger. *Neem het me niet kwalijk...*

De derde is de genadeslag. *Ik laat je de meubels en de hond houden, ik weet dat je eraan gehecht bent.*

Geen verklaring.

Zelfs niet: *Ik heb een andere vrouw ontmoet.* Of: *Ik hou niet meer van je.*

Het gevoel dat je van top tot teen wordt gevild, er een dolk in je ingewanden wordt gestoken, die dan eindeloos wordt rondgedraaid. Het gevoel dat haar hoofd tegen de muren wordt verpletterd.

Hier, in deze verlaten zitkamer, op de bank die ze samen hebben uitgekozen.

De hond is zojuist naast haar gaan liggen en begint te janken.

Zij heeft er de kracht niet voor.

Neem het me niet kwalijk...

16

Roland Margon betreedt als eerste het langeafstandswandelpad. Zoals Armstrong de maan: als een veroveraar.

Hij draait zich om en wacht op de anderen, die nog steeds
een eind achter hem lopen. Slapjanussen die hij vroeger als
vrienden beschouwde.

Vrienden? Niet echt, nu hij erover nadenkt.

De man is een kuddedier, hij heeft bindingen nodig, medemensen. Ook spiegels om zichzelf in te bekijken en te bewonderen. Om zichzelf tot recht te laten komen.

Vrienden? We kunnen beter 'maten' zeggen. Borrel- en
jachtmaten. Verder niets, uiteindelijk.

Trouwens, ze zullen het opnieuw worden. Ze zullen niet
de moed hebben zich van hem af te keren.

Wat hemzelf betreft, hij zal hen blijven gebruiken, zoals
hij altijd al heeft gedaan.

Hij streelt de snuit van Katia, die genoeg begint te krijgen van deze gedwongen mars. Hij geeft haar iets lekkers om haar te bemoedigen.

Ten slotte arriveren de drie anderen, buiten adem door de laatste klim. Een kortere weg, zeker, maar ontzettend steil.

'Wat nu?' vraagt Severin.

'Ze zal over niet al te lange tijd twee kilometer verderop moeten opduiken. We lopen naar de kruising, verstoppen ons en wachten haar op.'

'En dan?' vraagt Hugues.

'En dan? Raad eens!'

'Ga jij schieten?'

'Denk je soms dat ik dat in mijn eentje ga doen? Denk je dat ik zó stom ben?'

Roland wil een slok rum nemen, maar zijn zakfles is leeg. Severin reikt hem de zijne aan, als braaf hondje van zijn baasje. Maar daar zit ook niet zoveel meer in. De alcoholspiegel is hoog, de hoeveelheid sterkedrank laag. Ze zijn eraan gewend, ze voelen er zelfs de effecten niet meer van.

'We moeten erover nadenken,' besluit Margon, terwijl hij zijn lippen aan zijn mouw afveegt. 'Ik heb vanmorgen al op haar geschoten. Ik zal mijn geweer moeten weggooien, verdomme!'

'Waarom?' vraagt Gilles.

'Waarom? Omdat ze, als ze het lichaam van het meisje vinden, ook de kogel die erin zit zullen vinden, stommerik! En als ze bij alle jachtgeweren een ballistisch onderzoek uitvoeren, ben ik de pineut! Daarom zal ik me van dat wapen ontdoen! Net zoals we ons van het lijk van het meisje ontdoen, trouwens...'

'Ze heet Diane,' mompelt de waard.

'Wát?' schreeuwt Margon.

'Ze heet Diane,' herhaalt Hugues.

Severin Granet huivert bij het horen van die voornaam. Zijn maag krimpt samen.

'Nou en?' antwoordt hij. 'Het maakt toch niet uit hoe ze heet!'

'Precies,' stemt Roland in. 'Het belangrijkste is dat ze verdwijnt. Ik heb schijt aan de rest. Kom, we gaan.'

Margon neemt de leiding weer in handen.

Diane...

Hij is haar voornaam niet vergeten. Al uren denkt hij nergens anders aan.

Diane...

Elke seconde brengt hem dichter bij het moment waarop ze tegenover hem zal staan.

Het moment waarop...

* **

Remy is even gaan zitten. Sarhaan verwisselt het verband om zijn gapende wond. Met behoedzame, aandachtige gebaren, en met de middelen die voorhanden zijn.

'Bedankt...'

'Doet het pijn?'

'Ja! Ik heb het gevoel dat een van die rothonden aan mijn poot vreet, verdomme!'

Sarhaan verwijdert kleine stukjes blad en gras, die in de wond terecht zijn gekomen. Dan maakt hij een noodverband met behulp van papieren zakdoekjes, die als kompressen dienen, en een reep stof die hij heeft afgescheurd van wat er nog over is van de broek.

'We gaan het niet redden, hè?' bromt Remy plotseling.

'Ik vraag me af waarom we blijven vluchten als een stelletje idioten. Waarom we hier niet op hen wachten!'

'Omdat er altijd hoop is,' antwoordt de Malinees. 'Overlevingsinstinct.'

'Klote-overlevingsinstinct!' roept Remy woedend uit.

'Je moet het niet opgeven! Ik voel dat we het er levend vanaf zullen brengen...'

'Een minuut geleden zei je het tegenovergestelde,' moppert Remy, met een trieste glimlach.

'In feite zie ik je niet op sterven liggen,' verklaart de neger, terwijl hij Remy de helpende hand biedt. 'Het lukt me niet om je dood te zien!'

Remy komt weer overeind, met een van pijn vertrokken gezicht.

'Dat komt ongetwijfeld door je gebrek aan fantasie.'

Sarhaan barst in lachen uit.

'Hoe kun je nou nog lachen?' zegt Remy verbaasd.

'Jullie hebben een gezegde...'

'Gezegdes... allemaal onzin!'

'Een gezegde dat luidt: je moet de huid niet verkopen...'

'... Voordat de beer geschoten is. Ik weet het. Behalve dat de beren in kwestie in de penarie zitten! En dat er een meute psychopaten achter hen aan zit... Rijke smeerlappen!'

'Dat heeft niets met hun poen te maken...'

'De Lord zei tegen me dat ze veel geld op tafel leggen om zich met ons te vermaken! Heb je dat ook gehoord?'

'Overal zijn moordenaars... zowel bij de rijken als bij anderen.'

'Ja... Neemt niet weg dat die lui steenrijk zijn!' houdt Remy koppig vol.

Ze gaan verder met hun marathon. Maar het tempo is niet meer zo snel als ze zouden willen. Geen benzine meer in de motor. Alleen de angst zorgt ervoor dat ze zich nog bewegen. Als in een reflex.

Plotseling blijft Sarhaan staan.

'Wat is er?' vraagt Remy. 'Heb je iets gehoord?'

'Niet gehoord, gezíén! Kijk, daar...'

Remy ziet alleen maar bomen en dode bladeren. Nu eens van eiken, beuken en kastanjebomen. Dan weer van dennenbomen. Maar zo ver het oog reikt, zie je steeds dat klotebos. Onderbroken door heidevelden, vijvers of veengronden.

Nee, hij ziet hier werkelijk niets interessants.

'Vanmorgen zijn we daarlangs gekomen!' roept Sarhaan uit.

'Denk je dat?'

'Zeker weten... Ik herken die rotssteen, daar! Ik herken die plek, ik zweer het je! We zitten op de goede weg. We naderen het kasteel, man!'

Remy is met stomheid geslagen. Het kasteel naderen is niet hetzelfde als de uitgang vinden, ook al is het zíjn idee. Het is gewoon terug naar af.

Maar het is wel hun laatste hoop.

'Jij moet vooruitgaan,' zegt hij plotseling. 'Ik houd je alleen maar op... Jíj moet er heelhuids van afkomen, en dat is onmogelijk als ik bij je ben.'

De Malinees kijkt hem opgewekt aan, met iets van tederheid in zijn scherpe, donkere ogen.

'Als we overleven, doen we dat samen. Als we sterven, doen we dat samen!'

'Denk aan je kinderen, verdomme! Zij hebben je nodig!'

'Ik moet je iets zeggen... Ik heb tegen je gelogen.'

'Wát?'

'Ik heb tegen je gelogen. Ik heb geen kinderen. Ik heb geen vrouw en ook geen kind in mijn vaderland...'

'Echt waar? Waarom heb je dat leugentje dan verzonnen?'

'Geen idee... zomaar... Omdat ik bijna dertig ben en...'

'Ik zie het verband niet... Nou ja, het is niet belangrijk. Denk aan het grietje met wie je later zult trouwen, en aan de kinderen die jullie samen zullen krijgen. Zij zullen je absoluut nodig hebben!'

Sarhaan glimlacht.

'Voorlopig ben jíj degene die me nodig heeft, blanke man! En ik heb jóú nodig. Dus leun op mijn schouder en hou op met praten. We moeten nog een eind lopen.'

Remy berust erin. Gelukkig laat Sarhaan hem hier niet wegrotten, gelukkig stemt hij toe om tot aan het eind aan zijn zijde te blijven.

Om af te dalen in de hel en zijn hand vast te houden.

Terwijl Remy tussen de dennenbomen door loopt, denkt hij plotseling aan de vrouw die hij af en toe zag, als ze haar huis binnenging of eruit kwam. Ze woonde dicht bij een plek waar hij vaak bedelde. Hoogstwaarschijnlijk een fotografe, gezien de apparatuur die ze bij zich had. Lang haar, groot, met een ietwat trieste, mysterieuze glimlach, die hem boeide. Een charme die hem aantrok. Ze heeft hem nooit een cent gegeven. Maar ze heeft hem altijd gegroet.

Zonder te beseffen welke belangrijke plek die groet zou innemen op deze droefgeestige dag.

Waarom denkt hij ineens aan die onbekende?

Vast en zeker omdat hij haar graag zou zien glimlachen... Hij zou graag haar timide groet horen. Dat zou hem goeddoen, hem weer zelfvertrouwen geven.

Hij begint haar voornaam te raden. Het houdt zijn gedachten bezig, en dat helpt tegen de pijn.

Hoe heet ze? Hij had het haar moeten vragen... Hij had minstens één keer een gesprek moeten aanknopen... Wie weet, misschien was er dan iets tussen hen gebeurd.

Agnes? Nathalie? Marie?

Nee, het zal een bijzondere voornaam zijn, eentje die zelden voorkomt.

De voornaam van een godin, misschien...

16.00 uur

Diane bestudeert haar kaart en kijkt dan op.

Ja, ze is er bijna.

Over een paar minuten zal ze het langeafstandswandelpad bereiken. Daarna is het vlak terrein tot aan de weg.

Ze draait zich om. Niemand te zien aan de horizon.

Ze heeft moeite te geloven dat ze tot hier is gekomen zonder te zijn tegengehouden. Maar welk ander pad hadden ze kunnen nemen? Het linkerpad was een stuk langer.

Die vaststelling stelt haar slechts gedeeltelijk gerust. Ze weet dat het gevaar nog steeds aanwezig is en als een roofdier om haar heen sluipt. Boven haar hoofd zweeft, als een van die majestueuze aasgieren.

Ze gaat sneller lopen.

Plotseling denkt ze aan de zwerver die vaak in haar straat bedelde. Een jonge, potige kerel, aantrekkelijk, ondanks zijn mensonwaardige omstandigheden.

Nu verwijt ze zichzelf dat ze hem nooit iets heeft gegeven. Geen geld, geen eten. Ze wilde het wel, maar durfde niet.

Het is vast en zeker gênant om te bedelen. Dat is het ook om iemand een aalmoes te geven.

Nee, ze heeft het nooit gedurfd. Heeft hem nooit iets gegeven.

Wat is hij op dit moment aan het doen? Hij zal wel in haar straat staan, hopend op een beetje geld van de voorbijgangers...

Waarom denkt ze nu aan hem?

Misschien omdat zijn blik schatten van menselijkheid verborgen hield, en omdat zijn blik op die van Clement leek.

Clement...

Zodra deze ellende achter de rug is, zal ze naar hem op zoek gaan.

Want als ze deze dag overleeft, zal dat een teken zijn. Ja, ze zal hem terugvinden en hem laten zien waartoe ze in staat is. Ze zal hem vertellen dat ze aan hem heeft gedacht om de kracht te vinden om door te gaan.

Maar hij zal ongetwijfeld een nieuw leven zijn begonnen. Getrouwd, twee kinderen, drie katten?

Nee, onmogelijk. Dat zou ze weten, dat zou ze voelen.

Ze wordt door angst overmand. Achteruit, snel... Ja, hij is nog vrijgezel. Hier en daar een avontuurtje, zoals zij. Zonder het te beseffen wacht hij ook alleen maar op haar. Zijn gedachten en zijn dromen zijn nog steeds van haar vervuld.

Hij is vertrokken omdat hij zich niet wilde binden, omdat hij te jong was. Omdat zij zo verliefd was, dat ze hem verstikte.

Maar ze is veranderd. Ze zal hem nu kunnen behagen en hem geruststellen en zijn vertrouwen herwinnen.

Het zal haar lukken om hem te temmen.

Clement, wacht op mij, alsjeblieft. Ik heb dit alles niet gedaan om te blijven lijden. Maar met de hoop dat je me nog wilt, dat alles nog mogelijk is tussen ons. Dat niets voorgoed voorbij is.

Je zult me uitleggen waarom je weg bent gegaan, ik zal het je vergeven.

Hoe heb ik je zo lang ver uit mijn buurt kunnen laten?

Hoe heb ik mijn leven kunnen verpesten?

* * *

De honden lopen voorop, weer op het pad.

Jankconcert.

De paarden volgen in galop.

De Lord leidt de dans. Twee van zijn knechten die rondrijden in de jeep bevestigen dat ze de prooien vlak bij het kruispunt van La Croix hebben gezien, en dat ze in noordelijke richting gingen.

Dat klopt met de route die de honden hebben gevolgd.

Deze keer zullen zij ze alle twee tegelijk doden.

De dag loopt ten einde. Ze zullen niet het risico nemen om te wachten tot het donker is. Vóór die tijd moeten de prooien worden gepakt.

De twee voortvluchtigen zouden in geen geval de schemering beleven.

De Lord moedigt zijn troepen aan.

'Ze hebben de zon zien opgaan, maar ze zullen hem niet zien ondergaan!'

Een beetje poëzie kan nooit kwaad.

De jacht is hoe dan ook poëtisch. Behalve een sport is het ook een kunstvorm.

Vooral de mensenjacht.

De Lord herinnert het zich...

Het is precies anderhalf jaar geleden. In de lente, een fraaie aprilmaand, een beetje koud.

Er was nog maar één prooi over. De andere twee hadden ze gedood. Allereerst een zwerver, nauwelijks een uur na het begin van de jacht. Neergehaald door een getalenteerde boogschutter. Daarna was het de beurt van de tweede geweest. Een Iraakse vluchteling, met groot kaliber neergeschoten.

Alleen de illegale Roemeen rende nog toen het donker begon te worden.

Onvermoeibaar, die jongen! Zeventien of achttien, niet ouder. Klein, aan de magere kant. Maar barstensvol energie!

Hij had hen de hele middag laten rondrijden. Totdat hij eindelijk stopte, aan het eind van zijn krachten.

De Lord herinnert het zich...

De paarden die de prooi omsingelen, de honden die onheilspellend janken.

De bange jongeman, wiens hart dreigt te barsten, wiens spieren weigeren te gehoorzamen.

Hij herinnert zich ook die klant, zo bijzonder. Hij droeg een wapen aan zijn riem. Ze dachten allemaal dat hij op de Roemeen ging schieten. Maar dat gebeurde niet. Hij verlangde naar iets anders. Hij had andere fantasieën.

De klant is koning, zo luidt het devies van het huis...

De man kwam rechtstreeks uit Amerika. Een schatrijke zakenman van Canadese afkomst. Hij stond aan het hoofd van een heus imperium. Een wapenhandelaar, die er misschien genoeg van had om bij volmacht te doden.

Met olympische kalmte en uiterst nauwgezette gebaren knoopte hij een touw om de enkel van de Roemeen. Daarna maakte hij het andere uiteinde vast aan het zadel van zijn paard en galoppeerde weg over een pad, zijn gevangene een paar honderd meter meeslepend.

Kreten, smeekbedes. Maar al snel was er stilte. Met alleen het zware geluid van de hoeven. Het lichaam dat brak, de schedel die spleet, het bloed dat zich verspreidde, de huid die zich losmaakte en uitrafelde als katoen.

De Lord herinnert het zich...

Een massa gestript vlees, gebroken ledematen, een verkrampte mond.

Na zoveel kilometers te hebben afgelegd, na zoveel inspanning en verzet, verdiende die jongen beter. Een roemvoller einde.

Maar de klant is koning.

De rest is niet belangrijk...

16.15 uur

Gered!

Diane zou er bijna om glimlachen.

Bijna. Als ze niet totaal uitgeput was. Als ze niet zoveel pijn had.

Ze zet haar voet op het brede pad, zoals je na een storm in volle zee je voet op de vaste grond zet. Dit is het pad dat haar naar de weg en vervolgens naar het dorp zal brengen.

Dat haar naar de vrijheid zal leiden.

Naar de overleving.

Naar Clement.

Het pad gaat niet langer steil omhoog. Ze neemt een slok ijskoud water en stelt zich voor dat ze aan gloeiend hete thee nipt. Pepermuntthee met pijnappelzaad.

Gauw, Diane. Heel gauw.

Ze hervat haar pelgrimstocht, haar knieën knikken een beetje. Het lukt haar nog net om haar voeten op te tillen. Ze struikelt af en toe over een steentje.

Maar ze loopt!

Dan ziet ze hém. Plotseling verschenen uit het niets.

Als een wild dier.

Eerst denkt ze aan een visioen, een hallucinatie, een fata morgana.

Nee, hij is het wel degelijk, vlak voor haar, midden op het pad.

De in kaki kleren gehulde man.

Geweer in de hand, glimlach om de lippen.

17

Diane blijft stokstijf staan, ongelovig en sprakeloos.

Dan draait ze langzaam haar hoofd om. De drie anderen zijn natuurlijk achter haar. Ze lagen in hinderlaag in de bosjes.

Ze wachtten haar op.

Ze zijn haar niet gevolgd. Blijkbaar waren ze daar te slim voor en hebben ze een hinderlaag voor haar opgezet.

'Je hebt ons laten rennen, verdomme!' zegt Margon, terwijl hij naar voren komt.

Geen uitweg deze keer. Behalve zich in het ravijn storten. Maar ze zouden graag willen dat ze dat deed. Om haar niet te hoeven doden. Alleen om haar te zien doodgaan.

Dus onderneemt ze niets.

Haar laatste krachten laten haar in de steek. Ze vluchten langzaam uit haar, stromen over haar huid en verdwijnen plotseling in het grauwe landschap.

Ze is bang, natuurlijk, maar uiteindelijk niet zo erg.

Heeft ze er al vrede mee dat ze gaat sterven? Of is ze te moe om 'm te knijpen? Angst vreet zoveel energie...

Vreemd genoeg denkt ze niet aan de toekomst. Omdat ze die niet meer heeft?

Ze heeft het idee dat de tijd stil is blijven staan, gevangen in een luchtdichte bol. Dat haar achtervolgers niet zullen bewegen, voor eeuwig verstard zullen zijn in dat decor.

Net als zij.

Alle vijf zullen ze daar verstenen, tot aan het einde der tijden. In de toekomst zullen archeologen hen ontdekken, ongeschonden, onder een dikke laag aarde of stenen.

Het duurt slechts een paar seconden. Het moment waarop ze naar elkaar kijken, elkaar beloeren en taxeren. Het moment waarop ze haar ter dood veroordelen.

Een paar seconden, die toch eindeloos lijken te duren.

Oneindig lang.

Ze ziet dingen bewegen, maar het is slechts de vrucht van haar fantasie.

Het beweegt in haar hoofd. Het is er een drukte vanjewelste.

Herinneringen die op dit cruciale moment ongevraagd naar boven komen, die zich op het laatste moment vertonen.

Nog vreemder: het is de eerste keer dat die herinneringen aan de oppervlakte komen. Ze herinnert zich dingen die ze zo diep in haar onderbewuste heeft begraven dat ze voorgoed waren opgeborgen. Het tafereel dat ze voor het eerst herbeleeft sinds...

... Ze is nog geen vier. Drieënhalf, misschien. Of nog jonger. Hoe kan ze dat nou precies weten?

Het is donker, ze is thuis. In het huis waarin ze haar eerste levensjaren heeft doorgebracht. Ongewone geluiden halen haar uit haar vredige slaap.

Een kamer, beige tapijt op de grond. Zwak lichtschijnsel, afkomstig van een nachtlampje.

Diane loopt langzaam naar de deur, ontsnapt aan haar dromen. Ze heeft het gevoel dat ze iets stouts doet, iets wat verboden is.

Een donkere gang.

Angstaanjagende kreten. Die van haar moeder. En die van een man. Maar het is niet de vader van Diane...

Diane gaat verder, ondanks haar toenemende angst. Haar blote voeten schuiven over het ietwat stugge tapijt, met haar handje leunt ze tegen de muur.

Ze gaat op de bovenste traptrede zitten.

Ze hoort nog steeds kreten. Twee stemmen vermengen zich, ze botsen op elkaar in een hevig duel. De stem van mama, gewoonlijk zo zacht, en die van een onbekende.

Diane gaat langzaam een trede naar beneden en dan nog een. Het gezichtsveld is klein, maar het is voldoende om te kijken...

... Diane slaakt een gil. Margon pakt de kraag van haar jack vast. Ze heeft hem niet zien naderen. Mijlenver hiervandaan, op die donkere trap... Een jaar of dertig terug.

'Kop dicht!' beveelt de apotheker.

Diane verzet zich en geeft hem een schop tegen zijn scheenbeen. Het is zijn beurt om te schreeuwen.

Maar tegen wie verdedigt ze zich? Tegen die jager die haar sinds vanmorgen achtervolgt? Of tegen die vent onder aan de trap?

Ze navigeert tussen twee plekken, twee fases in haar leven. Tussen het begin en het einde.

Per slot van rekening is ze al dood, zonder het te weten.

Ze kon het zich niet meer herinneren, ze was het gewoon vergeten.

Waaruit volgt dat je verscheidene keren kunt sterven...

Ze keert terug naar het heden en concentreert zich op het getekende gelaat van de apotheker, op zijn ogen vol haat.

Ze is omsingeld en kan geen kant meer op. Ze doet een stap naar achteren, met haar rug naar de afgrond.

Margon probeert haar opnieuw vast te grijpen. Ze maakt ontwijkende bewegingen, wankelt en verliest haar evenwicht...

... Diane heeft zich vaak afgevraagd waarom.

Waarom iets in haar was gebroken. Waarom dat defecte radertje?

Een simpele scheur die het bouwwerk in gevaar bracht. Een scheur in de fundamenten van haar eigen bestaan.

Ze heeft altijd geleden, zonder de oorsprong van de pijn te kennen.

Zonder de wortels van het kwaad te kunnen thuisbrengen.

Vandaag, aan het eind van deze middag, begrijpt ze het eindelijk, terwijl ze zich door de leegte voelt opgezogen.

Alles blijft stationair draaien, als om haar de tijd te geven het te beseffen. Om de film voor een laatste keer af te spelen.

Terwijl ze op de derde trede van de vervloekte trap zit, blijft haar mond openstaan. Haar ogen vol slaap, vol zorgeloosheid, worden steeds groter.

Een onbekende maakt alles in de kamer kapot. Een hevige wervelstorm, een orkaan. Een monster, zoals in de verhalen die haar ouders aan haar hebben voorgelezen.

Een wreedaard.

Hij brult en zijn bewegingen zijn ongecontroleerd. Hij loopt niet recht, alsof de grond onder zijn voeten onvast is.

Zijn donkere pupillen spuwen haat uit, zijn vuisten blijven gebald.

Hij uit vreemde dreigementen, Diane begrijpt er niets van.

Destijds heeft ze er niets van begrepen.

Hij heeft het over de gevangenis, zegt dat het háár schuld is, dat hij vanwege háár zoveel jaar opgesloten heeft gezeten.

Waarom ben je hun alles gaan vertellen? Waarom heb je je mond niet gehouden? Waarom heb je mijn leven en dat van je moeder verwoest? Waarom heb je je eigen familie verwoest? Nu ik weer vrij ben, zul je ervoor moeten boeten!

Haar moeder huilt. Ze schreeuwt en overstelpt de onbekende met verwijten.

Je had niet het recht me dat aan te doen, rotzak. Je hebt de gevangenis verdiend! Je had niet het recht me dat aan te doen! Vanwege jou is mama gestorven, niet vanwege mij! Jíj hebt haar gedood! Jíj en niemand anders! Ze is gestorven van verdriet, vanwege jou... vanwege jou!

Plotseling stormt de onbekende op haar af en geeft haar een harde klap. Daar ligt ze op de okerkleurige tegelvloer van de zitkamer. Daar ligt ze, het bloed druipt tot in haar ogen.

Diane is doodsbang. Ze begint ook te huilen.

De man wendt zich af van zijn prooi op de grond, zijn blik kruist die van het kind. Hij komt dichterbij en gaat onder aan de trap staan. Imponerend, heel groot, onheilspellend.

Duivels, kwaadaardig.

Hij klimt de trap op, Diane kan zich niet meer bewegen. Ze is verstijfd van angst.

Ze roept.

Mama.

Papa, die niet thuis is.

Waarom is hij er niet om hen te beschermen? Hij die ze zo bewondert. De sterkste van allemaal...

Ze roept, tevergeefs, in de leegte.

De onbekende heeft zich op haar geworpen en tilt haar op.

Ik maak dat kind af! Ik ga je dochter doodmaken, hoor je?!

Diane brult nog harder. Ze is helemaal van streek. De man schudt haar heen en weer, als een bundel vuil wasgoed. Zo hevig, dat haar hoofd tegen de muur van het trapgat slaat.

Ik maak haar af!

Haar moeder smeekt nu. Ze gaat staan, met haar armen voor zich uitgestrekt, alsof ze het ergste wil verhinderen.

Nee, doe haar geen kwaad, ze heeft er niets mee te maken! Papa, nee...

De onbekende probeert de trap af te lopen, terwijl hij Diane nog steeds in zijn armen gevangenhoudt. Twee krachtige bankschroeven die haar fijndrukken, verbrijzelen.

Haar moeder heeft een bronzen beeld gegrepen dat op de schoorsteenmantel prijkt.

Hij mist een trede. Hij valt en neemt Diane mee in zijn val. Opeenvolgende schokken, kreten van haar moeder.

En dan: complete duisternis.

Eindelijk stopt de val.

Diane staat weer met twee voeten op de grond, tegen haar vijand aan geperst.

Roland heeft haar op het nippertje vastgepakt, terwijl ze in de diepte viel.

Toch zou het zo simpel zijn geweest, hij had haar zelfs kunnen helpen. Haar een duw geven, zodat ze twintig meter lager te pletter zou vallen. Maar de helling is niet steil genoeg, ze had kunnen ontsnappen.

Hij had haar moeten afmaken.

Maar aangezien dit geen afgelegen plek is, zou haar lichaam binnen twee dagen worden gevonden.

Diane opent haar ogen en kijkt in die van Margon. Ze ruikt zijn naar alcohol stinkende adem, zijn scherpe zweetlucht, de geur van zijn vochtige kleren.

Ze staart hem zwijgend aan, vervuld van een enorme afkeer.

'Je gaat een uitstapje met ons maken...'

Diane komt eindelijk weer tot zichzelf.

Een oplossing vinden, de woorden, het geniale idee dat haar uit deze hachelijke situatie zal redden.

'Als u me doodt, zult u in de gevangenis belanden!'

'Dat zou me verbazen, liefje... Ik denk dat het omgekeerde het geval is! Als wij je laten gaan, dán zullen wij achter slot en grendel worden gezet.'

'Ik zal u niet verraden!' belooft ze. 'Ik zal niets zeggen, dat zweer ik!'

Ze is zo oprecht als ze misschien nog nooit is geweest. Tevergeefs.

'Hou je mond...'

'Laat haar praten!' beveelt plotseling Severin Granet.

'Waarom?' schreeuwt de apotheker. 'We hebben geen tijd om naar haar onzin te luisteren.'

'Ja, luister naar me!' smeekt Diane. 'Ik zweer dat ik tegen niemand iets zal zeggen over wat er gebeurd is. U hebt hem terecht gedood, hij was een moordenaar!'

Roland glimlacht. Een glimlach die haar van top tot teen doet verstijven.

'Jij houdt me echt voor een eikel, hè? Denk je dat ik dat voor zoete koek aanneem? Het spijt me, dit is niet je geluksdag...'

Hij duwt haar naar het midden van het pad.

'Schiet op, lopen! En hou je mond!'

'Ik ga nergens heen! Als u me wilt doden, ga uw gang!'

'Misschien spreekt ze de waarheid!' komt Hugues tussenbeide. 'Luister, juffrouw, we kunnen u zwijggeld geven...'

Diane voelt de bres die de groep in tweeën deelt.

Margon aan de ene kant, vastbesloten haar te doden. Tot alles bereid om zijn hachje te redden.

De drie anderen, veel minder geneigd om haar om het leven te brengen. Ze aarzelen.

Diane loopt naar de waard.

'Ik wil uw geld niet, ik wil niets! Ik wil alleen maar naar huis... Ik zal nooit praten over wat ik vanmorgen heb gezien, erewoord.'

Hugues is verbaasd. Hij vindt het verdacht dat ze zijn poen niet wil hebben.

'Zo is het genoeg!' schreeuwt Roland. 'We verliezen onnodig tijd! Er is geen sprake van dat we ook maar enig risico nemen! Dus doen we wat we hebben afgesproken!'

Als hij Dianes arm vastpakt, drukt hij op de wond. Ze schreeuwt het uit, ze kronkelt van de pijn. Ze probeert zich te bevrijden en hem te slaan. Maar zíj is degene die een harde klap krijgt.

'Luister goed,' snauwt de apotheker. 'Je moet je rustig houden en gaan waarheen ík wil dat je gaat. Anders zul je een ellendig kwartiertje meemaken, begrepen?'

Ze geeft haar verzet op. Ze laat zich meenemen, te moe om een strijd te beginnen die ze bij voorbaat al heeft verloren.

'Opschieten!' beveelt Margon. 'Als je probeert te ontsnappen, zal ik zorgen dat je er spijt van krijgt...'

Severin voor haar, Hugues aan haar linkerzijde, Gilles aan haar rechterzijde.

Roland vlak achter haar.

Sinister escorte.

Waar nemen ze haar mee naartoe? Naar een afgelegen plek?

Wat heeft het voor zin? Ze is vandaag zogoed als niemand tegengekomen. Ze zouden haar hier kunnen doden, zonder getuige. Dan raadt ze hun plan. Ze willen niet dat ze wordt gevonden, ze willen haar lichaam laten verdwijnen, zoals dat van die randfiguur. Maar ze willen zich de moeite besparen haar lijk te vervoeren.

Zullen ze haar in een put gooien of in een mijn die niet meer wordt gebruikt? Zullen ze een gat in de aarde graven?

Zullen ze haar doodschieten of...

De angst keert terug, als een zweepslag. Ze begint te beven en te huilen.

Het beste zou zijn om hier te gaan liggen, midden op het pad. Om de verwezenlijking van hun plan uit te stellen.

Je moet je rustig houden en gaan waarheen ík wil dat je gaat... Anders zul je een ellendig kwartiertje meemaken...

Wat zou hij me kunnen aandoen dat nog erger is dan de dood?

Ze draait zich heimelijk om. Haar blik kruist die van Margon, waarin ze leest, zoals in een heldere beek. Ja, hij zou me nog ergere dingen kunnen laten ondergaan.

Dan berust ze erin.

Al die kilometers voor niets. Alleen uitstel van executie, om weer uit te komen in de gang die naar het schavot leidt.

De gevangenbewaarders omringen haar, de beul volgt haar. Wat ontbreekt, zijn de pastoor en zijn bijbel voor de laatste biecht.

Die heeft ze niet nodig. Haar geweten wordt nergens door belast.

Gevoelens van spijt heeft ze natuurlijk wel. Wroeging, nooit gevulde lacunes, nooit toegelichte vragen.

Maar één vraag is toch beantwoord. Een raadsel dat bijna net zo oud is als zijzelf.

Opa is verdwenen toen hij een ver land bezocht. Hij is nooit teruggevonden... Verdwenen in de Himalaya...

Hij was in de zitkamer, mijn grootvader. Hij schreeuwde en sloeg mijn moeder.

Hij was in de zitkamer, toen hij net uit de gevangenis was ontslagen. Hij was opgesloten omdat hij haar had verkracht.

Diane heeft geen enkele twijfel meer. Alles is helder geworden in haar hoofd. De mist is opgetrokken voor de gruwelijke waarheid.

Hij is nooit in Nepal geweest. Hij is nooit een held, een avonturier geweest.

Alleen maar een incest plegende vader, een smeerlap.

Hij heeft geprobeerd me dood te maken.

Mij, zijn kleindochter.

Mij, Diane.

Ik heb het al die jaren geweten, maar ik had het weggestopt.

Maar in mijn huid is het leed van mijn moeder gegraveerd, met letters van bloed getatoeëerd. Ik draag het mee in mijn genen, in elk deeltje van mijn lichaam.

Ik deel het met de vrouw die me het leven heeft geschonken.

De vrouw die haar eigen verwekker naar de gevangenis heeft moeten sturen.

En die dat nogmaals heeft moeten doen, na zijn poging om mij te vermoorden.

Tenzij ze zijn schedel met het bronzen beeld heeft stukgeslagen en hem vervolgens heeft begraven in de tuin.

Hoe kom ik daarachter?

Ik zal het haar nooit kunnen vragen, ik zal in onwetendheid sterven.

Die ondraaglijke onwetendheid...

Maar als ze hem heeft gedood, was dat om mij te beschermen. Ze zal het terecht hebben gedaan.

Net zoals ze hem terecht had laten veroordelen.

Diane loopt voort, met haar geweten dat ontlast is van de leugen, met het gevoel dat ze met geopende ogen zal gaan.

Sinds vanmorgen loopt Diane voort, met alle kracht die de natuur haar heeft geschonken.

Ze heeft alles geprobeerd, alles beproefd.

Ze heeft zichzelf niets te verwijten.

Dat neemt niet de angst weg, en ook niet de onrecht-vaardigheid. Alleen het schuldgevoel.

Clement, ik zal je nooit terugzien. Je zult niet weten hoe erg ik je mis.

Plotseling blijft Severin Granet staan. De anderen volgen zijn voorbeeld.

'Verdomme,' mompelt hij.

Aan de overkant komt een witte auto aanrijden. Maar hij is nog ver weg.

Dianes hart gaat als een razende tekeer. De auto ver-dwijnt in een bocht. Roland Margon grijpt zijn prooi bij haar jack en gooit haar in de armen van Gilles.

'Verstop je met haar, vlug!'

'Maar...'

'Smoel houden! Verstop je in het bos, schiet op!'

Gilles pakt de jonge vrouw vast. Hij dwingt haar het pad te verlaten om een schuilplaats te zoeken in de bosjes.

Diane schreeuwt.

'Help! Help!'

Maar de auto is nog te ver weg.

'Waarom gaan we niet met hen mee?' vraagt Severin verbaasd.

'Te laat, hij heeft ons gezien,' antwoordt Margon.

'Heeft hij het meisje gezien, denk je?' zegt Hugues. Er klinkt paniek door in zijn stem.

'Nee... Alleen een groepje jagers... Gedraag je heel nor-maal, jongens. Hij zal ons de mantel uitvegen.'

Eindelijk is de auto met het logo van het Nationaal Park gearriveerd op de plek waar zij zich bevinden. De wagen stopt. De parkopzichter stapt uit. Een vent van een jaar of vijftig, die zijn glimlach in de garderobe heeft laten liggen.

'Goedendag, heren... Weet u dat u niet het recht hebt om hier te zijn met uw wapens? Dit is beschermd gebied.'

'Ja, dat weten we,' antwoordt Margon kalm. 'Maar we jagen hier niet...'

De opzichter volstaat met een ongelovige glimlach. Maak dat de kat wijs!

'We hebben beneden de Louve gejaagd... Mijn hond is pleite gegaan. Ze had er genoeg van na die lange dag! En we hebben haar zojuist hierboven gevonden. Toen zijn we weer naar beneden gegaan...'

Een beetje hoger, achter een haag van planten, knevelt Gilles Diane en probeert haar in bedwang te houden. Maar ze verzet zich hevig. Gilles is een stevige vent, ook al lijkt hij zwak en mager naast Margon. Hij heeft zijn gevangene met haar hoofd tegen de grond gedrukt, is schrijlings op haar gaan zitten. En toen heeft hij zijn vuile hand op haar mond gelegd. Ze stikt, met haar gezicht in de vochtige aarde en die weerzinwekkende hand tegen haar lippen.

Ze zou willen schreeuwen, de man beneden waarschuwen. De man in uniform, die de gevestigde orde, de beschaving, het recht vertegenwoordigt.

Haar laatste kans om in leven te blijven.

Beneden gaat de opzichter tot de aanval over. Dat verhaal van die weggelopen hond stelt hem niet echt tevreden. Alle excuses zijn goed om te komen jagen in het gebied waar het meeste wild is! Hij vraagt om de identiteitskaart en de jachtvergunning van de jagers.

Hugues begint plotseling te trillen. Margon kalmeert hem met een doordringende blik.

Severin, die de parkopzichter een beetje kent, probeert de situatie te redden.

'Luister, meneer Madret, ik begrijp dat onze aanwezigheid hier u stoort, maar ik verzeker u dat we alleen maar Katia wilden vinden... Het is een goede hond, uitstekend afgericht! Ze is goud waard... Het is niet onze gewoonte om te jagen op verboden terrein, dat weet u toch?'

'Ja,' bromt de opzichter en geeft hun papieren terug.

'U ziet wel dat we geen wild bij ons hebben,' voegt Margon eraan toe.

'Oké. En nu gaat u onmiddellijk naar het randgebied. Begrepen?'

'Dat waren we juist aan het doen...'

Vijftien meter hoger stopt Diane niet met spartelen. Gilles houdt haar armen op haar rug, ze heeft heel veel pijn. Plotseling steekt ze haar been uit. Hij verliest zijn evenwicht. Zijn hand glijdt weg, Diane bijt in zijn vinger, en legt daar al haar resterende kracht in. Ze voelt dat haar tanden diep in het vlees van de vijand doordringen.

De smaak van bloed.

Gilles slaakt een gil van pijn als de opzichter zijn jeep start.

Het lukt Diane om haar linkerarm te bevrijden. Haar elleboog treft Junior vol in het gezicht. Hij wankelt en valt.

Ze gaat staan en geeft een trap tegen zijn hoofd. Dan begint ze te schreeuwen.

Help, help!

Ze ziet de witte auto wegrijden.

Help, help!

Dertig seconden te laat.

De ramen van de jeep zijn dicht. De man hoort niets, maar is niet blind.

De drie anderen staan nog steeds verstard midden op het pad, nog steeds in het gezichtsveld van de opzichter, die ongetwijfeld via zijn achteruitkijkspiegel naar hen kijkt. Wegrennen zou op zijn minst verdacht zijn.

Diane gaat ervandoor. Ze loopt dwars door het bos, Gilles achterlatend, die half bewusteloos is.

Ze heeft zijn geweer gepakt, maar met dat ding in haar hand kan ze minder hard lopen.

De anderen zetten de achtervolging in.

De geschiedenis herhaalt zich.

Alleen is haar voorsprong nu kleiner. Alleen spreekt ze nu haar laatste krachten aan.

Ze heeft nog kracht over, terwijl ze dacht dat ze aan het eind van haar Latijn was...

De geschiedenis herhaalt zich.

Alleen is Diane nu gewapend. En is de weg naar het dorp niet ver meer...

De geschiedenis herhaalt zich, alleen komt nu beslist het einde in zicht.

18

Sarhaan is als laatste geboren.

Hij is uit de vermoeide buik van zijn moeder gekomen, die al drie andere kinderen had gebaard. Drie meisjes.

Hij heeft zijn moeder niet lang gekend. Ze is gestorven toen hij nog maar zes was. Maar zijn vader is hertrouwd met een jongere vrouw. Sarhaan heeft twee halfbroers geboren zien worden.

Hij groeide op in de streek van Kayes, op de oevers van de rivier de Senegal.

Op een dag verkocht zijn vader een paar beesten en gaf Sarhaan zijn karige spaargeld. Hij zei dat Sarhaan moest vertrekken, dat het tijd was om zijn geluk te beproeven.

Dat betekende Mali verlaten om in het Westen geld te verdienen. Om een man te worden. Om waardig te blijven.

Sarhaan was nog maar eenentwintig, maar hij was voorbereid op dat idee. Zoals de meeste jonge Malinezen droomde hij van de consumptiemaatschappij.

In een fastfoodrestaurant eten, Nikes kopen.

Hij kende Europa alleen uit films of van de televisie. Eigenlijk kende hij het dus niet.

Maar hij verlangde gewoon naar iets wat hij niet had.

Wat is er verleidelijker dan iets wat je niet bezit?

Hij had vaak mannen horen vertellen dat het daarginds makkelijk was. Dat het het paradijs was.

Ze logen. Om de pijn die ze hadden verdragen te verbergen, hun ellendige levensomstandigheden, hun tegenslagen of teleurstellingen.

Maar dat wist Sarhaan niet.

Hoe dan ook, hij moest voldoende geld verdienen om zijn ouders, die niet meer zo jong waren, te onderhouden. Zijn zussen waren getrouwd, ze hadden hun familie verlaten. Zijn halfbroers waren nog te jong om te vertrekken of te werken.

In Afrika is de zoon verplicht de vader te onderhouden. Hij hoort niet te lang zijn ouders tot last te zijn. Om de eer van de familie niet aan te tasten.

Sarhaan koos voor de weg van de woestijn. Minder riskant, volgens zijn inlichtingen, dan die van de oceaan. De reis was lang, gevaarlijk en bezaaid met voetangels en klemmen. Hij stopte in Marokko. Daar bleef hij zes maanden om een beetje geld te verdienen en een smokkelaar welvarend te maken.

Ten slotte bereikte hij Frankrijk, vol angst, enthousiasme en illusies.

Maar zijn vervoering duurde niet lang. Amper drie maanden na zijn aankomst stuitte hij op een politiecontrole. Charter naar Bamako, de hoofdstad van zijn dierbare land...

Een onbekende stad. Maar er was geen sprake van dat

hij naar zijn geboortedorp zou terugkeren en de schande zou trotseren: dat hij had gefaald en tot niets in staat was.

Een schande die de hele familie zou hebben besmeurd.

Een ondraaglijke vernedering.

Dus overleefde hij zo goed en zo kwaad als het ging in de immense hoofdstad, die vol leven en lawaai was. Gedurende meer dan een jaar voerde hij kleine klussen uit op markten of elders, in de hoop voldoende geld bijeen te rapen om weer naar zijn westelijke hof van Eden te vertrekken.

Daar kantelde zijn leven.

Daar werd hij een moordenaar.

Het ging zo snel. Ongelooflijk snel. Van de ene seconde op de andere veranderde alles.

Een beetje te veel alcohol, een beetje te veel woede. Een ruzie die uit de hand loopt. Hij wil zich beschermen. Hij haalt zijn blanke wapen tevoorschijn, dat in de buik van de ander belandt, zonder dat Sarhaan echt begrijpt wat er gebeurt.

Hij heeft een man gedood die net zo jong was als hij. Zonder beweegredenen. Nu heeft hij bloed aan zijn handen, en vlucht weg uit Bamako.

Hij is nooit door de politie lastiggevallen vanwege dat misdrijf. En die heeft hem er ook niet van verdacht of ervoor gearresteerd.

Hij heeft er nooit voor geboet.

Toch wel.

Hij boet er elke dag voor. Want elke minuut denkt hij eraan. Elke minuut trotseert hij de rollende ogen van zijn stervende slachtoffer, voelt zijn laatste adem op zijn eigen gezicht.

Hij had een nieuwe reden om zijn vaderland te verlaten, dus beproefde hij nog een keer zijn geluk. Toen hij tweeëntwintig was, zette hij opnieuw koers naar Frankrijk.

De tweede reis duurde eindeloos. Maar hij kwám uiteindelijk in Frankrijk aan! Hij vestigde zich eerst in Montreuil, en daarna in Sarcelles.

Zijn droom is langzaam verbleekt. Rafelig geworden door het prikkeldraad van de werkelijkheid.

Voor een buitensporig hoog bedrag een studio huren in een armzalig flatgebouw, hard werken in de bouw. Met de dagelijkse angst te worden ontslagen.

Maar uiteindelijk kan hij een beetje geld naar zijn familie sturen. Ook een paar berichten.

Zes lange jaren in Frankrijk, waarin het hem is gelukt aan de talrijke controles te ontsnappen.

De politieagenten moeten rekenschap afleggen en de omzet vergroten. Doelen bereiken. Of ze het nou leuk vinden of niet.

Dus zitten ze er voortdurend achteraan.

Maar ze hebben nog brood op de plank...!

Sarhaan heeft zich zo goed en zo kwaad als het ging aan zijn nieuwe leven aangepast, zo ver van de oevers van de Senegal. Zo ver van de warmte van zijn land.

Het fastfood smaakt vies, en de Nikes kan hij zich niet permitteren.

Hij heeft alleen een baan, een dak boven zijn hoofd, en een stel vrienden met dezelfde huidskleur als hij. Zo gek nog niet, als je er goed over nadenkt.

Hij ontmoette een sympathieke handelaar in tweedehandsboeken, die hem een paar romans gaf. Aanvankelijk las Sarhaan moeizaam. Maar daarna gretig! Hij verslond het ene boek na het andere. Echte vraatzucht. Een onverzadigbare honger.

Dat liet hem reizen, dat veranderde zijn ideeën.

Het was veel makkelijker te verteren dan het fastfood... veel toegankelijker dan Nikes.

En toen, op een dag, ontmoette hij Salimata.

De goddelijke Salimata.

Een jonge Malinese, behangen met diploma's, doctor in de biologie, werkzaam als schoonmaakster in een supermarkt in een buitenwijk van Parijs. Ze is door haar familie naar Frankrijk gestuurd om haar studiekosten terug te betalen.

Sarhaan begreep onmiddellijk dat zíj het was.

In het begin durfde hij haar niet met zijn handen aan te raken.

Zijn handen die onder het bloed zaten.

En toen raakte zíj hém aan...

Ze maakten plannen om samen te wonen en een gezin te stichten in hun vaderland. Want hier zouden ze nooit iets anders zijn dan illegale gastarbeiders, allochtonen, uitgeslotenen.

Ja, ze hadden plannen.

Nu is Sarhaans enige plan: overleven. Hier in dit bos, achtervolgd door een horde krankzinnigen.

Sarhaan is ervan overtuigd dat wat hem overkomt niet op toeval berust.

Hij is hier omdat hij heeft gedood. Omdat zijn handen bezoedeld zijn.

Omdat hij niet meer is dan een moordenaar.

Omdat hij Salimata niet verdient.

Hij wist dat hij ooit voor zijn misdaad zou boeten, op

welke manier dan ook. Hij wist dat het uitstel van executie was.

Hij had zich veel straffen voorgesteld, maar niet deze.

Soms geeft Allah blijk van veel fantasie.

Vaarwel, dierbaar Mali.

Vaarwel, lieve zussen, lieve vader.

Vaarwel, Frankrijk.

Vaarwel, Salimata...

19

Het geblaf wordt duidelijker, dwingender.

Het is geen geblaf trouwens, het zijn lugubere klaag-
zangen die weerklinken, afketsen tegen de ziel, tot in het
oneindige. En steeds meer pijn doen.

Remy blijft voor de zoveelste keer staan. Sarhaan, die
meevoelt met zijn zware beproeving, staat hem een paar
seconden toe.

Maar een paar seconden... die gaan snel voorbij.

'Kom op, man, we moeten verder...'

'Laat me met rust!' schreeuwt Remy plotseling.

De Malinees zwijgt even. Zijn metgezel is ongetwijfeld
agressief geworden door de pijn.

'Ik weet dat je pijn hebt, maar we kunnen hier niet blijven... We moeten ze zien af te schudden en...'

'Ze afschudden?' schampert Remy, met een wrange grijns.
'Hoe? Met een helikopter? Heb jij een helikopter? Nee?
Hou dan je mond...!'

Sarhaan klemt zijn kiezen op elkaar. Hij schopt tegen een afgebroken dorre tak. Hij kijkt naar de hemel, daarna naar de grond. Hij haalt diep adem, met zijn handen op zijn heupen.

'Hou eens op met schreeuwen en kom mee,' beveelt hij met kalme stem.

'Nee! We zitten niet op de goede weg, je hebt uit je nek zitten lullen! Je dóét niet anders...'

Sarhaan slaakt een zucht.

'We zijn vanmorgen daarlangs gekomen... Ik herken de plek.'

'Je herkent niks en niemendal, stommerik. Dat vervloekte landhuis is hoogstwaarschijnlijk de andere kant op. En ik, ik heb naar je geluisterd, ben je gevolgd! Met mijn bebloede poot... Je moet nooit vertrouwen hebben in kerels als jij...'

Deze keer slaat Sarhaan terug. Zijn geduld heeft grenzen, al is het engelengeduld...

Hij pakt Remy bij zijn jack en duwt hem tegen de stam van de dichtstbijzijnde boom.

'Maak me niet razend! Haal niet het bloed onder mijn nagels vandaan! Je weet niet waartoe ik in staat ben!'

'Nee, ik weet niets van je! In elk geval lieg je voortdurend... Laat me nu los. Blijf met je vieze poten van me af!'

Sarhaan is zichzelf weer meester en laat Remy los. Zijn ogen weerspiegelen onbegrip, verwarring en droefheid.

'Ga waarheen je wilt,' brult Remy. 'Aangezien je er zeker van bent dat het die kant op is, ga daar dan heen! Vooruit, ga! Krijg de klere! Ik ga de andere kant op... Ik heb geen zin meer om naar je flauwekul te luisteren! Vooruit, donder op! Maak dat je wegkomt, ik heb genoeg van je!'

Sarhaan aarzelt. Hij deinst terug. Zou de blanke man

gek aan het worden zijn? Zo lijkt het wel. Gek van pijn, woede en angst.

Hij verliest gewoon zijn verstand.

Hij heeft te veel te verduren gehad sinds vanmorgen.

'Ik wil je niet alleen laten in je huidige toestand... ga met mij mee, doe niet zo stom!'

'Ik heb geen behoefte aan iemand als jij! Ik heb je niet nodig... Ik zal me beter kunnen redden zonder jou! Ik had het al gered zonder jou!'

Plotseling pakt Sarhaan zijn arm vast en probeert hem mee te slepen. Maar Remy heeft daar geen begrip voor. Hij verzet zich, spartelt tegen, dreigt met zijn vuisten en brult.

'Laat me los, verdomme!'

'Verrek!' roept Sarhaan uit, terwijl hij zijn hand laat zakken. 'Je bent kierewiet geworden!'

Het is onmogelijk om hem in toom te houden. Een waanzinnige.

'Nou, donder op! Smeer 'm, verdomme!'

Sarhaan werpt een laatste blik op hem. Zonder bitterheid of haat. Een gekwetste blik. Een afscheid.

Een paar stappen achteruit, dan draait hij zich om en begint weer te rennen.

Als Sarhaan bijna verdwenen is, glimlacht Remy en mompelt: 'Succes, vriend...'

٭

Roland Margon zegt niets. Hij beperkt zich ertoe zo snel mogelijk te lopen en onophoudelijk zijn blik over de omgeving te laten gaan.

Severin volgt hem, zo goed en zo kwaad als het gaat.

Een eindje daarachter sluiten Hugues en Gilles de rijen. Zwijgend. Gilles, wiens gezicht de schrijnende littekens draagt van zijn falen. Plus een nieuwe blauwe plek, het gevolg van de confrontatie van zijn onderkaak met de wrekende vuist van Margon, die hun laatste tegenslag niet heeft verwerkt.

Nu moeten ze opnieuw beginnen. Hun gevluchte prooi terugvinden, die ook nog eens gewapend is.

Nu naderen ze de snelweg, de ramp.

Vanwege die jonge sufferd, die een uitgeputte meid niet in toom kon houden.

Margon kijkt naar de reacties van Katia. Blijkbaar heeft ze iets geroken en volgt ze een spoor. Een wild zwijn, een ree, een haas? Een fotografe? Wie zal het zeggen?

Maar ze is niet ver weg. Ze heeft geen grote voorsprong kunnen nemen. Drie minuten, op z'n hoogst.

Zogoed als niets.

Behalve dat het terrein in haar voordeel werkt. Dichte plantengroei, een warboel, een chaotisch hoogteverschil. Het barst van de plekken om je te verstoppen.

Misschien zijn ze vlak langs haar gelopen zonder haar te zien. Maar Katia zou haar ongetwijfeld hebben geroken.

Hoewel Katia is afgericht op wild, niet op vluchtende fotografen.

Wat een rotdag...

17.00 uur

Sarhaan blijft staan.

Hij heeft het zojuist begrepen.

Ineens ging hem een licht op.

Plotseling had hij het door.

Remy heeft zich voor hem opgeofferd.

Hij draait zich om en raakt verstrikt in de vijandige plantenwoestenij.

Hij heeft zin om te janken en te brullen. Om alles in de steek te laten.

Teruglopen om Remy weer op te pikken? Hij zal niet meer op de plek zijn waar hij hem heeft achtergelaten. Hij zal zonder twijfel in de tegenovergestelde richting zijn vertrokken om de meute naar zich toe te trekken, bij wijze van afleidingsmanoeuvre.

Daarom heeft hij me beledigd, geslagen. Hij wist dat dat de enige manier was om te zorgen dat ik hem zou verlaten. En ik geloofde het.

De uitputting en de angst hebben zijn oordeelsvermogen vertroebeld.

Hij neemt het zichzelf kwalijk.

Dan begint de dappere Sarhaan te snikken.

Een geterroriseerd kind, verdrietig, schuldig, dat op zijn knieën valt voor een boom en zijn voorhoofd tegen de schors legt. Hij laat zich overmannen door een eindeloos verdriet.

Het geblaf heeft zich verwijderd.

Ze zijn nu heel dicht bij Remy.

Terwijl Sarhaan tranen met tuiten huilt, met het afschuwelijke gevoel dat hij een tweede moord op zijn geweten heeft.

₍₎*

Diane zit achter een oud, bouwvallig afscheidingsmuurtje. Ze probeert weer op adem te komen. Het ademhalen gaat moeizaam, is pijnlijk, maar ze houdt vol.

Ondanks de snel dalende temperatuur is haar voorhoofd klam. Ze drinkt de laatste druppels uit haar veldfles en raadpleegt dan haar gescheurde kaart. Ze blijft waakzaam, haar oren zijn gespitst.

Spoedig zal de schemering vallen.

En dan de nacht. Met zijn stoet angstwekkende silhouetten, niet thuis te brengen geluiden, en kinderangsten.

Met zijn dodelijke kou.

Ze gaat staan, nog steeds op haar hoede.

Vreemde stilte.

Alleen de snelle vlucht, heimelijk, van een gracieuze slechtvalk, die tussen de bomen door vliegt. Scherpe blik, stalen klauwen, volmaakt evenwicht.

Alleen de verre stappen van een hinde. Zo onopvallend dat Diane haar niet zal zien.

Alleen het leven, altijd aanwezig, nooit opdringerig, dat dit bos als een schat verbergt. Dit bos, dat misschien haar laatste verblijfplaats wordt.

Haar grafkelder, haar begraafplaats.

De plek waar ze in de vergetelheid zal raken.

Ze begint weer te lopen. Haar voet glijdt uit, ze verzwikt haar enkel en verdraait haar knie.

Ze valt. Dan gaat ze weer staan en pakt het geweer op. Ze houdt het vast met haar linkerhand.

Als ik er eentje zie, schiet ik. Ook al heb ik nog maar één arm.

Als ze dichterbij komen, knal ik ze neer. De een na de ander. Ik maak ze allemaal af...

Legitieme verdediging.

Legitiem geweld.

Remy dacht niet meer vooruit te kunnen komen. Blijven lopen.

Naar de dood.

Hij dacht niet dat hij ooit de moed zou hebben om zijn eigen graf te graven.

Het geblaf is dichtbij.

Vlak achter hem.

Als een ondraaglijk, brandend gevoel in zijn rug. Helse muziek in zijn oren.

Zo dichtbij... Hij draait zich om. Niets.

Blijf lopen.

Hij beweegt zich voort met twee stukken hout, bij wijze van krukken. Als het moest zou hij kruipen.

Hen zo ver mogelijk van Sarhaan verwijderen. Hen meenemen naar de andere kant.

Hij vermoedde dat de honden zijn spoor zouden volgen. Die van het bloed.

Hij heeft zelfs zijn been langs een boomstam en langs struiken gewreven om de honden zover te krijgen, ze op te winden, ze te misleiden.

De honden hebben in het aas gebeten, hij heeft gewonnen.

Bij zijn vriend blijven betekende hem opgeven.

Hij hoort een stem in de verte. Een achtervolger, een jager.

De meute zit hem op de hielen...

Maar Remy is ver weg. Ver weg van deze spookbossen, van deze meedogenloze klopjacht.

Hij is bij zijn dochtertje, zijn kleine Charlotte. Zacht gezicht, hoge, iele stem. Gulle lach.

Enorm grote ogen, die het blauw van een onbekende hemel weerspiegelen.

Hij corrigeert het verleden en richt het op zijn manier in. Maakt het mooier, verzacht het.

Houdt zichzelf voor de gek, vertelt aan zichzelf een levensverhaal dat niet het zijne is.

Jammer dan, nu kan hij zich die luxe permitteren.

Een van de stokken breekt, hij valt.

Hij heeft geen kracht meer om op te staan.

Het is afgelopen.

20

'Papa, waarom vliegen vogels wel en ik niet?'

Een grappige vraag. Maar kinderen hebben altijd grappige vragen! De ouders moeten antwoorden zien te vinden, wat niet altijd makkelijk is... Maar in dit geval wél.

'Vogels hebben vleugels, jij niet! Dus kun je niet vliegen...'

'Waarom heb ik geen vleugels?'

Die vraag had hij kunnen verwachten.

'Omdat je geen vogel bent, lieverd! Ik heb ook geen vleugels! Jij bent een klein meisje. En een klein meisje loopt, rent, maar vliegt niet.'

De honden zijn als eerste ter plaatse.

Verkenners van de duisternis. Begin van de *kill*. Ze omsingelen de prooi, ruiken eraan en janken van vreugde.

Plicht vervuld.

Sommige honden rennen een eindje terug om hun triomf

luidkeels kenbaar te maken, hun aanbeden baasje te waarschuwen. Andere maken rondjes om het bewegingloze lichaam.

Remy doet zijn ogen niet open.

Hij weigert deze plek te verlaten. Vlak bij de fontein, waar de hongerige duiven rondscharrelen en voedsel oppikken. Waar hij de hand van Charlotte vasthoudt.

Waar hij gelukkig is, zonder het te weten. Nee, destijds besefte hij het niet.

Stomme zak.

Nu klinkt er het geluid van hoeven. Maar de paarden zullen hier niet kunnen komen. Die schoften, die jagers zullen verplicht zijn het laatste stukje te voet af te leggen.

'Papa, waarom heb ik geen broertje?'

Jemig, dat wordt moeilijker. Bovendien heeft dat geen enkel verband met de duiven... Behalve dat een jongetje stukjes brood naar ze toe gooit. Dat is vast en zeker de reden van deze ongerijmde vraag.

Remy doet net of hij niets heeft gehoord. Hij sleept Charlotte mee naar het dichtstbijzijnde parkje. Maar een paar seconden later stelt Charlotte de vraag opnieuw, met dodelijke trefzekerheid.

'Mama zegt dat jij niet wilt!'

Zegt mama dat? Verdomme. Het is wel de waarheid. Later, altijd later. Dit is niet het goede moment voor een tweede. Laten we wachten.

Waarop?

Het geluid van stappen, van een leger van laarzen, van een duivels legioen. Tussen het gejank van extatisch opgewonden honden door.

Hij heeft niet veel tijd meer om het juiste antwoord te vinden.

Wat is er beter dan een andere vraag?

'Zou jij een broertje willen hebben? Waarom geen zusje?'

Charlotte aarzelt. Ze denkt na.

'Ik weet het niet!'

'Hoor eens, je kunt niet kiezen! Je kunt niet kiezen tussen een meisje en een jongen! Het is een verrassing!'

Ziezo, hij heeft zich er goed uit gered, hij is trots op zichzelf. Toch zal hij er met zijn vrouw over moeten praten als hij weer thuis is!

Hij is dood!

Nee, hij doet alsof hij dood is!

Waar is de andere? Waar is de neger?

Remy glimlacht en doet eindelijk zijn ogen open.

'Zoekt u iemand, heren?' vraagt hij. 'Kan ik u misschien van dienst zijn?'

De jagers zijn even stomverbaasd. Geen spoor van angst op dat gehavende, uitgeputte gezicht...

Geen schrik in die vermoeide ogen.

Alleen verzet, brutaliteit, minachting. Onverschilligheid bijna.

Remy gaat met zijn rug tegen een boom zitten, zijn gewonde been voor zich uit gestrekt.

Hij kijkt de Lord strak aan, zonder een spier te vertrekken. De Lord beveelt zijn honden zich koest te houden. Hij trotseert Remy's blik.

Met zijn eeuwige glimlach. Kwaadaardige tatoeage.

Ten slotte richt hij zich tot de Engelsman.

'Nu bent ú aan de beurt.'

De man reageert niet.

Zijn naam is Sam Welby. Een jaar of veertig, hooguit. Klein, schriel, een lichte huid en blond haar. De Lord heeft tijdens zijn vooronderzoek ontdekt dat Sam bij zijn geboorte al rijk was. Geld dat hij verkwistte zoals hij dat wilde. Een gereserveerde man, weinig spraakzaam, ontoegankelijk. In zichzelf gekeerd. Geen glimlach of schaterlach sinds zijn aankomst. Geen geluid over zijn lippen.

Maar het is geen kilheid of minachting, peinst de Lord. Iemand die simpelweg niet goed kan communiceren met zijn medemensen.

Sam beweegt niet. Het is de eerste keer dat hij iemand gaat ombrengen. Hij is een beetje uit zijn evenwicht door de man op de grond, die gelaten op zijn executie wacht. Dit is niet zoals hij het zich had voorgesteld. Zijn fantasieën brokkelen af, zijn zekerheden ook. Hij betwijfelt of hij nog wel zin heeft.

Dat is trouwens het probleem met fantasieën. Vaak is het beter niet te proberen ze te verwezenlijken.

'Waar wacht u op?' vraagt de Lord ongeduldig.

'Nergens op...'

'Vorm ik een probleem voor u, mijn beste?' zegt Remy spottend. 'Vergeet niet dat ik slechts een zwerver ben! Ja, vóór die tijd was ik een gerespecteerd ingenieur en een goede huisvader... Maar als uw taak eenvoudiger wordt door dat te vergeten, vergeet het dan maar, alstublieft...'

De glimlach van de Lord bevriest. Een goede huisvader? Dat is niet volgens plan. Maar het is een beetje laat om ervan af te zien.

De Engelsman is nog steeds verstard. Remy gaat verder met zijn optreden. Zijn laatste gevecht, een erestrijd.

'Wordt u misschien geblokkeerd omdat ik op de grond lig? Wacht even, ik zal gaan staan...'

De Engelsman spert zijn ogen wijd open. Remy gebruikt zijn stok om weer overeind te komen.

'Ziezo... Is het zo beter?'

Nog steeds is er niets van het gezicht van de Engelsman af te lezen.

Remy komt langzaam dichterbij. Hoe lukt het hem om zijn natuurlijke, instinctieve en diepgewortelde angst te onderdrukken? Hij heeft de dood gewild, hij heeft de dood te hulp geroepen om een einde aan deze kwelling te maken. Hij is zich niet meer echt bewust van de angst in zijn buikholte, die elk moment kan gaan opspelen.

Nu is hij dicht bij degene die geacht wordt hem te doden.

'En, stomme klootzak, heb je al spijt? Knijp je 'm? Heb je je tong verloren? Wil je misschien dat ik zelfmoord pleeg?'

Het gezicht van de vijand verkrampt, vervormt door woede.

'Ik zal je achtervolgen tot je dood, smeerlap,' bromt Remy. 'En ik hoop dat je onder de vreselijkste pijnen zult sterven... Dat jullie allemaal onder de vreselijkste pijnen zullen sterven...'

Hij spuugt in het gezicht van zijn moordenaar die niet in staat is hem te vermoorden.

Delalande komt tussenbeide. Hij grijpt Remy's oude, vieze jack vast en schudt hem flink door elkaar.

'Waar is je vriend?'

'Ik had een beetje trek, ik heb hem opgegeten!'

Een kopstoot. Remy's hersenen maken een reis om de

wereld. Hij wankelt, maar hij heeft toch de tijd om, voordat hij valt, de klant met gelijke munt te betalen. En dan liggen ze beiden op de grond.

De Lord neemt het heft in handen. Hij pakt zijn geweer en drukt de loop tegen Remy's keel.

'Waar is die ander?'

'Geen idee, meneer! Krijg de klere!'

'Geef antwoord…'

'En zo niet? Ga je me dan doden?'

'We zullen hem hoe dan ook terugvinden en hem in handen krijgen!'

'Dat zou me verbazen! Sarhaan is ervandoor. Hij is kampioen op de achthonderd meter. Je had inlichtingen moeten inwinnen voordat je hem ging zoeken, eikel.'

De Lord laat hem los en wendt zich weer tot Welby, die nog steeds als verlamd is. Maar opgeven is niet mogelijk. Iedere deelnemer heeft zich verplicht tot het doden van zijn prooi. Dat is een manier om ze voor altijd te laten zwijgen.

De Lord gaat voor hem staan, indrukwekkend.

'Doe wat u moet doen. En wel onmiddellijk. We hebben geen tijd te verliezen…'

'Ik heb betaald, ik doe wat ik wil!' zegt de Engelsman gebelgd.

Zijn gastheer schudt zijn hoofd.

'U kent de regels. U kunt niet terugkrabbelen. Dwing me niet om overtuigender te zijn… als u geen ballen had, had u hier niet moeten komen. Die zwerver heeft meer lef dan u, zo lijkt het wel!'

Welby probeert zich te vermannen. Hij pakt zijn wapen. Een geweer met een afgezaagde loop.

Remy gaat opnieuw staan, voor de laatste keer. Langzaam, moeizaam.

Kom op, de allerlaatste inspanning.

Hij laat zijn blik over het gezelschap dwalen. Het is alsof hij op een voetstuk zit.

Dan ontploft er iets in zijn ingewanden. Een staaf dynamiet, een brandgranaat.

De enorme angst, die in slaap was gesust door de pijn en erdoor was ondermijnd, was weer opgedoken, diep in zijn binnenste.

Die maakt zich meester van zijn hele lichaam. De angst komt uit elke porie van zijn huid. Welt op in elke ader, elke slagader. Zorgt ervoor dat al zijn zenuwen trillen.

Hij zou graag willen dat zijn gezicht onbewogen is, dat zijn ogen dit geheim niet verraden.

Remy zou willen sterven als held.

Helaas...

Sam Welby heeft zijn vinger aan de trekker. Maar er gebeurt niets.

Een van de honden wordt ongeduldig. Hij begint opnieuw te janken. Hij krijgt een schop in zijn ribben.

'Waar wacht u nou op?' roept de Lord geërgerd uit.

Het zweet staat Sam Welby op het voorhoofd. Zijn wijsvinger trilt, aarzelt, en blijft erg lang waar hij is.

Iedereen houdt zijn adem in.

De Lord fluistert in het oor van de Engelsman: 'Als u hem niet doodt, zal ik u neerschieten... Hebt u dat begrepen?'

Welby houdt zijn ogen op Remy gericht.

Remy houdt zijn blik op het wapen gericht.

Hij voelt kneuzingen in zijn lichaam. Zijn benen die het

begeven, zijn hart dat blijft bonzen. Een hartaanval, dat zou die vuile Brit goed uitkomen!

Sarhaan, beloof me dat je er zonder kleerscheuren van af zult komen. Beloof het...

De Lord richt zijn geweer op de nek van de klant. Radicale oplossing! Maar het is niet de eerste keer.

'Vijf, vier, drie...'

'Ik veracht jullie!' zegt Remy plotseling. 'Ik veracht jullie... Stelletje...'

De knal verrast hem. Een oorverdovend geluid dat hem onderbreekt. Hij wordt naar achteren geworpen en raakt de boom. De pijn doet er enkele tienden van een seconde over om zijn hersenen te bereiken. Hij buigt zijn hoofd, zijn knieën begeven het. Hij zakt langs de ruwe boomstam in elkaar.

De kogel is door zijn borstkas gegaan, en er tussen zijn schouderbladen weer uitgekomen. Hij legt een hand op de gapende wond. Hij zoekt de lucht, het leven. Ten slotte raakt hij de grond en dan zit hij weer, zoals een ogenblik tevoren.

'Jullie... zijn... niets... waard... Jullie zijn... niets...'

'Maak hem af!' beveelt de Lord met ongebruikelijke woede. 'Maak hem af, verdomme.'

Maar de Engelsman heeft het gehad. Hij begint te trillen als een espenblad. Dan loopt de Lord naar Remy toe, totdat het wapen zijn voorhoofd raakt.

Hun blikken kruisen elkaar, vermengen zich, worden één.

Remy ziet tot zijn verbazing een onverwachte pijn in de ogen van de ander. Een aarzeling, berouw. Een wond, een barst.

Daarna ijzige kilte.
Het niets.
Het schot. Het bloed. De oneindige val.

Papa, waarom ben je dood?

21

17.30 uur

Diane kan haar oren niet geloven.

Hallucinatie? Fata morgana?

Een voertuig rijdt over de verkeersweg. Heel dichtbij. Vlak boven haar hoofd. Met nieuwe energie klimt ze de laatste meters van de helling op. Dan staat ze eindelijk op het asfalt.

De weg waarop ze sinds vanmorgen heeft gehoopt. Ze zou hem bijna kussen!

Jammer dat ze de auto heeft gemist die zojuist is gepasseerd. Maar er zullen wel andere auto's zijn, ook al lijkt deze B-weg meer op een lokale weg dan op een snelweg.

Met trillende hand haalt ze de kaart uit haar zak. Ze moet zich nu niet in de richting vergissen! Ze ontdekt het gehucht, en ziet dat ze naar rechts moet. Maar de jagers zijn zonder twijfel ook dicht bij de weg. Het is echt te riskant om midden op het wegdek te lopen. Het is beter om in veiligheid te blijven. Ze besluit aan de rand van de weg verder te gaan, in de beschutting van de eerste rij struiken. Daar zal ze de volgende automobilisten kunnen horen en zien, op weg naar de paar huizen een kilometer of drie verderop.

Drie kilometer is niets, mijn lieve kind! Helemaal níéts...

Drie kilometer is een enorme afstand, als je die moet afleggen terwijl er een horde moordenaars achter je aan zit. Terwijl je een kogel in je arm hebt. Terwijl je bang bent om te sterven.

Drie kilometer gevaar.

Drie kilometer te veel?

Ineens hoort ze opnieuw het geluid, het is magisch. Het geluid van een motor.

En dan ziet ze de witte auto aankomen.

* ** *

Sarhaan huilt nog steeds. Er stromen tranen uit zijn onyxkleurige ogen.

Hij huilt. Hij is weer gaan lopen en vervolgens gaan rennen.

Remy heeft zijn leven gegeven om te proberen het zijne te redden. Ik moet alles in het werk stellen om hier levend uit te komen. Alles.

Het nooit opgeven. Zolang mijn hart klopt.

Hij is heidevelden overgestoken, en veen, waar hij de sporen heeft uitgewist. En nu duikt hij op uit een donker sparrenbos.

Hij rent nog steeds. Parallel aan de enorme omheiningsmuur die hij kortgeleden heeft teruggevonden.

Hij rent terwijl hij zijn benen niet meer voelt. Ze zijn zo hard als graniet.

Maar plotseling stopt hij. Een laan zoals hij er vandaag zoveel heeft gekruist. Deze is anders. Deze is geasfalteerd, fraai omgeven door majestueuze bomen.

De laan die naar het kasteel van de Lord leidt.

Hij volgt hem, in tegenovergestelde richting, achter de prachtige, eeuwenoude kastanjebomen.

Wat zal hij aan het eind aantreffen?

De uitgang, natuurlijk.

Hij blijft op een redelijke afstand staan. Een hoge, metalen toegangspoort, versierd met vergulde, dodelijke punten. Rechts ervan staat een klein, stenen huis met een schuifpui. Sarhaan loopt ernaartoe met katachtige bewegingen. In het gemoderniseerde huisje is een bewaker aanwezig. Sarhaan kan hem achter een tafel zien zitten. Hij leest. Op een paar schermen tegenover hem zijn beelden te zien. Beelden van bewakingscamera's, die ongetwijfeld op de muur zijn aangebracht. Af en toe richt de bewaker zijn blik op de spionnen, maar dan verdiept hij zich weer in zijn tijdschrift.

Sarhaan probeert na te denken. De vermoeidheid bemoeilijkt dat. Die vent is vast en zeker gewapend. Hem rechtstreeks aanvallen zou oliedom zijn. Maar Sarhaan ziet geen andere oplossing om de poort te openen.

Hij komt nog dichterbij, heel zachtjes. Hij heeft het gevoel dat zijn luidruchtige, onregelmatige ademhaling hem zal verraden. Hij is nog maar vijf meter van het huisje verwijderd.

Zich op de bewaker storten, hem ontwapenen, hem neerslaan – of doden –, de automatische opening van de poortdeuren in werking stellen en... naar de vrijheid vliegen!

Sarhaan gaat languit op de grond liggen. Het zal het beste zijn om het laatste stukje kruipend af te leggen.

Maar dan gaat de bewaker staan. Sarhaan houdt zijn adem in. Er beweegt iets op een van de schermen. De bewaker drukt op een knop, de poort begint zich te openen. Sarhaan ziet geleidelijk aan de grille van een auto. Een jeep, zoals de jeeps die rondrijden op het landgoed om de jagers te begeleiden.

Wat Sarhaan niet weet, is dat het om het voertuig gaat dat de Rus naar het ziekenhuis heeft gebracht. Dat trouwens terugkomt zonder zijn klant, die ter observatie is opgenomen.

Wat Sarhaan niet weet, is dat de kans die hem geboden wordt niet toevallig is. Dat hij ertoe heeft aangezet, samen met zijn beklagenswaardige metgezellen.

Door die steen naar het hoofd van Balakirev te gooien heeft hij een ticket naar de vrijheid voor zichzelf gekocht.

Hij heeft de regels van het spel veranderd.

Sarhaan weet slechts één ding: het is nu of nooit.

De chauffeur van de jeep wacht geduldig tot de deuren van de poort wijdopen staan. Sarhaan is nog dichterbij gekropen. De bewaker groet zijn collega's, en de jeep rijdt de oprijlaan op.

Nu of nooit.

Terwijl de deuren zich nog aan het sluiten zijn.

Nu of een wisse dood.

Sarhaan springt op en stormt naar voren.

Een weergaloze sprint.

De bewaker ziet hem voorbijstuiven, als een wervelwind. Hij valt er bijna door van zijn stoel.

De jeep stopt abrupt, de achteruitrijlampen gaan aan.

Sarhaan is over de drempel gestapt. De bewaker trekt zijn wapen en richt zijn schot tussen de twee metalen deuren, die nu een schietgat vormen.

De voortvluchtige steekt de weg over en stort zich voorover in het struikgewas, terwijl het schot weerklinkt...

17.40 uur

Diane staat midden op de smalle weg. Ze zwaait met haar linkerarm, terwijl ze haar kostbare geweer stevig vasthoudt.

'Stop! Stop, alstublieft!'

De witte auto remt, een beetje laat. Hij slipt op het vochtige wegdek, maakt een zwieper en belandt net niet in de sloot. De chauffeur is zonder twijfel geschrokken van die spookachtige verschijning voor zijn motorkap.

Diane haast zich naar het voertuig. Op het moment dat ze het raampje aan de passagierskant aanraakt, trekt de wagen weer op, hortend en stotend.

'Stop, alstublieft!' smeekt Diane, terwijl ze zich aan de auto vastklampt. 'Stop! Ik heb hulp nodig! Niet weggaan! Alstublieft!'

Ze geeft het op en rent niet meer achter de auto aan, die steeds harder gaat rijden. Ze heeft tijd gehad om het gezicht van de inzittenden te zien. Een jong stel, met een kindje achterin. Een jaar of dertig, zoals zij. Gewone mensen, zoals zij.

Waarom zijn ze niet gestopt?

Diane laat zich op het asfalt zakken. Het rennen heeft haar volledig uitgeput. De intense hoop die de grond werd ingeslagen, heeft haar gebroken.

Hoe hebben ze me hier kunnen achterlaten?

Misschien zijn ze afgeschrikt door het geweer...?

Plotseling begint ze te schreeuwen.

Klootzakken! Lafaards! Als ik jullie tegenkom, zal ik jullie om zeep helpen!

Uiteindelijk houdt ze op. Het is zinloos haar gal te spuwen. Daarmee zal ze enkel de aandacht trekken van haar achtervolgers, die de omgeving aan het uitkammen zijn. Hoe dan ook, haar stem is zwakker geworden. Snikken blijven in haar droge keel steken, tranen wellen op in haar ogen.

Het kost haar heel veel moeite om weer te gaan staan. Ze draait zich om en verbergt zich achter de struiken. Dan vervolgt ze haar kruisweg naar het gehucht. Onbewoond, misschien...

Waarom hebben ze me niet geholpen? Ze konden een einde aan deze nachtmerrie maken. Ze konden alles laten ophouden door me simpelweg een helpende hand te bieden. Ze hoefden alleen maar een portier open te doen.

Toch hebben ze niets gedaan.

17.50 uur

De Lord heeft zijn glimlach verloren. Eindelijk.

Maar niet zijn zelfbeheersing.

De bewaker heeft hem gewaarschuwd, vlak na de spectaculaire ontsnapping van de Malinees. De eerste jeep, die het door zijn binnenkomst Sarhaan mogelijk heeft gemaakt om te vluchten, heeft de achtervolging al ingezet.

De Lord verruilt zijn volbloed voor een jeep, en nodigt de

Oostenrijkse uit om naast hem te gaan zitten. Delalande en twee knechten nemen een andere auto. Ze storten zich op hun beurt op het gebied dat aan het enorme landgoed grenst. Sam Welby gooit de handdoek in de ring en keert terug naar het landhuis om zijn zenuwen met alcohol te verdoven.

De Lord glimlacht niet meer. Het is de eerste keer dat het een prooi lukt te ontkomen. Hij zal de bewaker van de poort en van de bewakingscamera's nader spreken als deze tegenslag is afgehandeld. De Lord staat via de radio in verbinding met de andere jagers. Hij laat hen een valstrik spannen.

De neger heeft niet veel voorsprong kunnen nemen. Hij moet dus in de directe omtrek worden ingesloten, omsingeld, zodat hij niet de bewoonde wereld kan bereiken of in de naburige bossen verdwijnen. Ook lopen er drie mannen op het terrein, met de honden aan de lijn. De befaamde speurhonden beginnen toch tekenen van vermoeidheid te vertonen. Ze zouden liever naar hun hok gaan. Vreten, drinken en slapen.

De prooi kan hun niet ontglippen met al die maatregelen. Onmogelijk.

De Oostenrijkse heeft haar kruisboog op haar knieën gelegd. Ze speurt de omgeving af, klaar om zichzelf een extra doelwit te geven. Een extra portie, een smakelijk dessert. Een supplement zonder prijsverhoging. Ze lijkt nogal opgewonden door de wending die de zaak heeft genomen.

De Lord zegt niets meer tegen haar. Hij concentreert zich op een lastig probleem: op deze zaterdag kan de voortvluchtige paddenstoelenplukkers tegenkomen, wandelaars, mountainbikers... Die kans bestaat, ondanks het late uur.

Plotseling voelt de Lord een hand op zijn dij. Hij draait zijn hoofd om en kijkt naar zijn vrouwelijke passagier, die naar hem glimlacht en zich avontuurlijker toont.

'Later,' zegt hij simpelweg.

Ze stemt in met een sierlijke hoofdbeweging.

Maar ze laat haar hand op het veroverde gebied liggen.

17.50 uur

De kreten van de jonge vrouw zijn hun niet ontgaan. Katia heeft haar oren gespitst, de groep jagers is blijven staan.

'Jemig, ze is dichtbij,' mompelt Roland Margon. 'Een beetje hoger, op de weg...'

'We moeten opschieten,' voegt Severin eraan toe. 'Als ze een auto vindt, zijn we erbij!'

'Ga dat tegen je ontaarde zoon zeggen!' antwoordt de apotheker koeltjes.

Gilles komt plotseling tevoorschijn, als een duveltje uit een doosje. Niemand schrikt.

'Schei daarmee uit, verdomme! Ik zal die griet vinden! En ik zal haar uit de weg ruimen!'

Margon werpt hem een wrede glimlach toe en begint weer in de richting van de weg te lopen.

'Je hebt geen wapen meer, idioot.'

'Ik heb geen geweer nodig. Ik zal haar met mijn eigen handen wurgen!'

Na dat laatste antwoord valt er een pijnlijke stilte. Severin Granet kijkt zijn zoon op een vreemde manier aan.

Haar wurgen... zoals Julie?

Maar ze vervolgen gewoon hun weg.

Eigenlijk zijn ze allemaal moordenaars geworden op deze mooie oktoberdag. Dus het feit dat een van hen voor de tweede maal een misdrijf begaat, is nauwelijks meer belangrijk.

Ze hebben als laatste een verschrikkelijk stadium bereikt: ze relativeren.

Ze kunnen niet meer terugkrabbelen, tenzij ze hun leven, hun eer en hun comfortabele bestaan willen opofferen. Ze hebben grenzen overschreden en het punt bereikt waarop geen terugkeer mogelijk is.

Ze zijn nu moordenaars. Wat ze ook doen of zeggen, ze zijn niets anders dan moordenaars.

Moordenaars die aan elkaar vastgeketend zijn door een vreselijk geheim, dat hen tot aan hun dood zal achtervolgen.

Maar het moeilijkste komt pas ná de moord: leven met het geheim!

22

18.00 uur

De dag begint gevaarlijk ten einde te lopen in de Sologne. Een nachtzwaluw wordt wakker, een gaai valt in slaap.

En Sarhaan loopt nog steeds hard.

Zijn voeten rennen over de stenen, blijven achter wortels haken, hij verzwikt zijn enkels in de talrijke kuilen. Zijn hart doet pijn, zijn longen lijken te klein, en zuurstof is te schaars.

Hij hoort het onverdraaglijke geronk van de jeeps, die als enorme insecten om hem heen cirkelen.

Hij hoort nog steeds de klaagzang van de honden, die zijn spoor ruiken.

Felle, verbeten bloedzuigers.

Hij hoort het gefluister van de dood, die ernaar verlangt zich meester van hem te maken.

Jij zult boeten... Jij moet sterven... Net als degene die je hebt gedood...

Hij hoort de angst die hem in zijn greep houdt en zijn bloed vergiftigt, dat al vergiftigd is door de enorme inspanning.

En toch rent hij.

Plotseling komt hij uit op een laan. Hij aarzelt om hem over te steken. Hij kijkt naar links, naar rechts...

De stilstaande jeep verschuilt zich aan het eind van de laan, vlak voor de bocht.

De pijl die suist, de inslag in de boom, een paar centimeter bij hem vandaan.

Hij schreeuwt en maakt rechtsomkeert.

Nee, Remy, ik zal er niet levend van afkomen. Ik zal nooit mijn land terugzien, mijn broers, mijn zussen.

Ik zal nooit Salimata terugzien!

Weldra zal ik niets meer zien...

Toch blijft Sarhaan rennen.

.

Diane gebruikt het geweer als kruk. De koude, buigzame takken van de struiken zwiepen tegen haar gloeiende gezicht, haar hard geworden kuiten, haar zere bovenbenen.

Zo meteen komt de nacht.

Zo meteen komt de dood.

Nee, het gehucht is niet ver meer. Je kúnt het bereiken... Je kúnt het...

In de schemering die haar omhult, ziet ze vaag iets abnormaals. Schaduwen die niet plantaardig zijn.

Ze beseft het vrijwel meteen.

Zij hebben haar ook gezien!

Ze zijn heel dichtbij, slechts door een paar bomen en een paar struiken van haar gescheiden. Een paar meter.

Diane weet het niet meer. Terugdeinzen, naar voren lopen, schieten?

Sterven?

18.05 *uur*

De Lord en de Oostenrijkse zijn uit de jeep gesprongen. Daarna hebben ze de achtervolging op hun laatste prooi ingezet, als een stel uitgehongerde roofdieren.

Kannibalen.

Ze zijn vlak achter hem, zitten hem op de hielen. Ze ruiken zelfs de geur van zijn angst.

Dat windt hen op, dat brengt hen nader tot elkaar, dat schept een band tussen hen.

Ze zijn tot aan de tanden gewapend en weten dat de neger van hen is. Het is een kwestie van seconden. Van minuten, hooguit.

Sarhaan loopt recht op een andere groep af, de groep van Delalande, die onverschrokken wacht op zijn prooi die hij met zoveel geld heeft gekocht.

Hij zal er niet heelhuids van afkomen, gevangen in een bankschroef die hem zal fijnmalen, verbrijzelen.

* * *

Diane doet twee stappen naar achteren.

Ze zullen niet schieten, dat weet ze. Ze zullen haar alleen vastgrijpen en haar meesleuren naar haar graf.

Ze zwaait dreigend met haar wapen, haar vinger aan de trekker. Ze probeert haar rechterhand te gebruiken om het geweer horizontaal te houden.

Zonder enige aarzeling haalt ze de trekker over. Het oorverdovende geluid gaat dwars door haar trommelvliezen heen.

De jagers verspreiden zich en verdwijnen achter de angstwekkende contouren van de bomen. Klaarblijkelijk heeft ze niemand geraakt.

Diane draait zich razendsnel om en begint opnieuw te rennen.

* * *

Sarhaan zigzagt tussen de dennenbomen door.

Vóór hem, achter hem, links van hem zijn jagers... De dodelijke greep wordt steeds vaster, en verstikt hem. Een leger slangen dat hem wurgt.

Maar hij rent, terwijl hij over hindernissen springt en met de kuilen spot.

Hij weet dat hij niet veel tijd meer heeft. Dat zijn hart zal bezwijken, dat zijn lichaam het zal opgeven.

Een tweede pijl gaat rakelings langs hem heen en blijft in de grond steken.

Hij vermindert zijn snelheid niet.

Ten slotte komt hij uit op een pad. Hij heeft geen adem, geen kracht, geen wil meer. Hij hoort het bekende geluid van een jeep achter zich, en draait zich om.

* * *

Diane loopt midden op de weg. Ze zou willen hardlopen, maar dat lukt haar niet meer. Ze zou willen hopen, maar ze gelooft er niet meer in.

Ze durft zelfs niet achterom te kijken. Ze zijn daar, dat weet ze.

Ze laat haar geweer vallen, te zwaar. Ze probeert nog een paar wankele stappen te zetten, die van een dronkaard of een stervende.

Ze wacht op de handen die haar zullen beetpakken en haar naar het einde zullen slepen.

Ze wacht, gelaten.

Ze beweegt nog steeds, een automatisme.

De laatste stuiptrekkingen voor het overlijden.

Totdat een schitterend licht haar verblindt, met volle kracht...

* * *

Sarhaan draait zich om. De chauffeur van de jeep remt abrupt om hem niet omver te rijden. De neger klapt tegen de motorkap alvorens op de grond te glijden. De chauffeur rent snel naar hem toe. Sarhaan kijkt versuft naar die man in zijn kaki outfit.

Een jager.

'Gaat het, meneer? Heb ik u niet verwond? Wilt u dat ik de ambulancedienst waarschuw?'

De ogen van Sarhaan worden groter en groter.

'Help me...'

De man pakt zijn arm vast en helpt hem overeind.

'Neem me mee... Ze willen me doden...'

'Wat?'

'Neem me mee. Ik zal het u... uitleggen...'

Sarhaan wacht niet tot zijn redder de situatie begrijpt. Hij klimt op de passagiersstoel en sluit het portier. De jager gaat weer achter het stuur zitten, nog steeds geschokt.

'Start!' smeekt Sarhaan. 'Schiet op, start! Anders zullen ze ons ombrengen.'

'Wie dan?'

Twee moordenaars verschijnen op het pad, dertig meter vóór het busje.

'Zíj!' schreeuwt de neger.

De Lord en de Oostenrijkse duiken op hun beurt op uit het bos, een meter of twintig achter hen.

'Start!'

De jager lijkt eindelijk de situatie te begrijpen. Of gewoon de urgentie. Hij geeft gas en dwingt de achtervolgers aan de kant te gaan, de berm in. Sarhaan kijkt in de achteruitkijkspiegel en ziet dat het silhouet van de Lord zich snel verwijdert.

Gered!

* * *

Diane valt op haar knieën op de weg, en kijkt naar het felle licht.

Piepende remmen, gierende banden op het asfalt. Een grille die vlak voor haar gezicht stopt.

Ze gaat staan en rent naar het portier aan de passagierszijde, dat gelukkig open is. Dan stort ze zich in de auto. De chauffeur kijkt haar verbijsterd aan.

Er verschijnen vier mannen op de weg, boze schimmen in het schijnsel van de koplampen.

'Die mannen willen me doden! Start de auto, alstublieft!'

De man blijft haar aanstaren, stomverbaasd, ongelovig.

'Rustig maar, juffrouw...'

'Start, verdomme!'

Eindelijk ziet hij de gewapende jagers, die zijn voertuig naderen. Dan gehoorzaamt hij. Hij gooit het stuur om en stuift weg in de andere richting.

Diane barst in huilen uit.

Gered!

'Ik wil naar de politie!' zegt Sarhaan.

'Wat is er met u gebeurd?' vraagt de man in de kaki kleren. 'Wat wilden die kerels van u?'

'Ze wilden me doden! Het zijn moordenaars!'

'Rustig maar, rustig...'

'De politie...'

'We gaan naar het politiebureau. Er is er een niet ver hiervandaan. Goed?'

'Oké... Bedankt...'

Zijn weldoener is een joviale vijftiger. Zijn hond slaapt weer rustig op de achterbank. Zijn – gebroken – geweer ligt op de vloer.

Sarhaan blijft aandachtig om zich heen en achter zich kijken, hij kan niet geloven dat de Lord de strijd heeft opgegeven.

Maar niemand volgt hen.

'Het is tien kilometer rijden naar het politiebureau,' zegt de chauffeur. 'We zullen er over een kwartiertje zijn, niet meer...'

'Bedankt... heel erg bedankt! U hebt mijn leven gered...'

'Is dat zo? Ik heb niets bijzonders gedaan,' antwoordt de man. 'Behalve dat ik geprobeerd heb u niet omver te rijden!'

***

Diane pakt een tissue uit het handschoenenkastje. Ze veegt haar gezicht af, ze snikt nog een beetje na.

'Gaat het wat beter?' vraagt de chauffeur.

'Ja, dank u...'

'Bent u gewond?'

'Ja, ze hebben op me geschoten, die schoften!'

'Maar wie zijn die idioten?'

Dan begint Diane alles te vertellen.

Haar dag in de hel, de meedogenloze klopjacht, de race tegen de klok om aan de dood te ontsnappen. Ze praat langzaam, te moe om de stroom van haar chaotische gedachten te volgen. Het is haar gelukt. Ze is nog in leven, en in de beschutting van deze auto.

'Het is niet te geloven,' zegt de onbekende. 'Niet te geloven... Die kerels zijn stapelgek!'

'Ja... We moeten naar de politie.'

'Uw wonden moeten toch eerst behandeld worden?'

'Later... Ik wil dat die smeerlappen vanavond worden gearresteerd!'

'Goed, we rijden naar Florac. Daar is een politiebureau...'

'Een politiebureau, ja, dat is goed...'

'Wat is uw voornaam?'

'Diane.'

'Ik heet Yves.'

Diane leunt met haar hoofd tegen het raampje, ze ontspant eindelijk haar spieren.

Ze kijkt heimelijk naar haar redder. Hij is waarschijnlijk nog geen veertig. Hij is groot. Hij heeft een hoekig, mager gezicht, een scherp profiel en lange, knokige handen.

Maar ze vindt hem mooi. Zo mooi.

Ze zou hem bijna om de hals willen vliegen.

Bijna. Iets weerhoudt haar zich zo impulsief te gedragen. Zal ze voortaan bang zijn voor mannen?

Ze strekt haar oververmoeide benen een beetje en trekt zo snel mogelijk haar modderige schoenen uit. Ze bukt zich om een stuk stof op te rapen dat op de vloer ligt en dat ze vies heeft gemaakt met haar smerige schoenen. Een mooie dameshoofddoek, in blauwe tinten. Het is absoluut niet belangrijk en toch vindt ze het vervelend dat ze op die fraaie zijden hoofddoek is gestapt.

Vandaag is alles zo vuil.

'Het spijt me,' zegt ze. Ik heb erop getrapt en...'

'Het geeft niet. Het is niet erg... Geef maar hier.'

Hij pakt de hoofddoek aan en gooit hem op de achterbank.

'Weet u,' zegt Yves met zijn zachte stem. 'Ik ben hier nog niet zo lang... Ik heb me twee maanden geleden in deze streek gevestigd. En het bevalt me heel goed... Maar ik ben een trekvogel en ik weet dat ik binnenkort weer weg zal gaan!'

Diane staat op het punt flauw te vallen. Tenminste, dat denkt ze. Het privéleven en de reis- en treklust van deze vreemde laten haar koud. Maar toch beseft ze dat ze iets belangrijks is vergeten. Iets essentieels zelfs.

'Bedankt, Yves... Heel erg bedankt.'

'Graag gedaan, Diane. Je hoeft me niet te bedanken... Ik zou een knappe vrouw die er zo slecht aan toe is niet laten staan op die verlaten weg!'

Hij begint te lachen. Diane sluit haar ogen.

Waarom geeft hij geen gas?

Ze zou willen dat ze al op het politiebureau waren.

Nee, ze zou willen dat ze al thuis was, dat dit alles slechts een boze droom was.

Ze zou in de armen van Clement willen liggen.

Ze zou gewoon willen dat deze dag er nooit was geweest.

Epiloog

Zes dagen later...

Vanuit de lucht gezien is Parijs nog mooier. Maar vanmorgen is Sarhaan niet in de stemming om de hoofdstad te bewonderen.

Hij denkt aan Remy, Eyaz en Hamzat. Hun moordenaars zullen ongetwijfeld nooit worden gestraft.

Hij heeft begrepen dat de Lord niet zal worden gearresteerd, dat zijn klanten met rust zullen worden gelaten. Anders zou de politie hem, Sarhaan, in Frankrijk hebben gehouden om als getuige op te treden. Dan zouden ze hem niet hebben verplicht om in dit vliegtuig te stappen, na hem direct na zijn ontslag uit het ziekenhuis van Blois in een uitzetcentrum te hebben opgesloten.

De politie heeft zijn getuigenverklaring met aandacht aangehoord. Ook met ongeloof. Een verhaal van een gek?

De man die hem het leven had gered, heeft hun niet veel kunnen vertellen. Behalve dat hij bijna een man had overreden die als een bezetene door het bos rende. Behalve dat hij inderdaad andere jagers in de buurt had gezien. Maar niets wat Sarhaans verhaal over de dodelijke klopjacht geloofwaardig kan maken.

De politiemannen hebben hem zijn getuigenverklaring laten tekenen en hem verzekerd dat ze een onderzoek zouden instellen. Daarna hebben ze hem naar het ziekenhuis van Blois gestuurd, waar hij goed in de gaten werd gehouden.

Een illegaal. Het formele bewijs daarvan hadden ze in handen.

Een illegaal die hierheen was gekomen om zich in het hol van de leeuw te wagen.

Het ziekenhuis... Vier dagen ter observatie. Vier dagen om weer op krachten te komen. Vier dagen om te proberen te slapen, onder invloed van kalmerende middelen.

Maar de pillen houden de nachtmerries niet tegen, die steeds terugkeren, zonder op de nacht te wachten. En die in zijn slaap losbreken.

In zijn gedesinfecteerde kamer zat de angst bij zijn bed. Elk moment vreesde hij 'hem' te zien binnenkomen.

De Lord.

Vermomd als arts, een mes in de hand. Klaar om hem als een dier te slachten.

Om hem als wild te kelen.

Tot aan het eind van zijn leven zal hij nooit méér zijn dan wild.

Een prooi.

De nachtmerries waarin hij onophoudelijk vluchtte, achtervolgd door een verborgen gevaar, door het gejank van de honden. Waarin hij bleef rennen. Waarin hij viel en geen kracht meer had om op te staan. Waarin hij de duivelse schimmen zag die hem insloten om hem af te maken...

Hij deed zijn ogen open, met de zekerheid dat de horde in zijn kamer was.

Verzameld rond zijn bed.

In het ziekenhuis en daarna ook in het uitzetcentrum bleef hij zijn verhaal vertellen.

Overal, aan iedereen. De hele tijd. Onophoudelijk. In het Frans, in het Engels.

De enige getuigenis, de getuigenis van de enige overlevende.

Aan wie vertelde hij het? Aan andere illegalen, die hem als een gek beschouwden. Of die, in het gunstigste geval, antwoordden dat ze machteloos waren.

Aan de bewakers, die niet eens naar hem luisterden, hem adviseerden te zwijgen.

Het deed er niet toe, hij vertelde.

Omdat de mensen het moeten weten.

Dat zoiets gruwelijks bestaat.

Ook al lijkt niemand er vooralsnog in te geloven...

Sarhaan zal niet stoppen.

Hij zal doorgaan, het verhaal steeds opnieuw vertellen. Het van de daken schreeuwen, desnoods. Het opschrijven. Hij zal vechten, of liever zich verzetten tegen oren die doof zijn geworden.

In Mali zal hij heus wel iemand vinden die naar hem luistert, in actie komt en zijn invloed aanwendt. Een Frans lid van een ngo, een niet-gouvernementele organisatie. Een journalist. Een dokter.

Hij zal het niet opgeven, hij zal het vuur niet laten doven.

Ter nagedachtenis aan de martelaren.

Zijn vrienden.

Terwijl het vliegtuig hoogte wint, denkt hij aan Salimata. Ze maakt zich waarschijnlijk ernstig zorgen, omdat ze niets meer van hem heeft gehoord. Omdat ze niet weet waar hij zich bevindt. Bij gebrek aan het vereiste visum kan ze absoluut geen stappen ondernemen om te proberen hem terug te vinden.

Hij neemt zich voor haar te bellen of te schrijven als hij eenmaal in Bamako is aangekomen. Om haar op de hoogte te brengen van de zware beproeving die hij heeft doorstaan.

Dan bedenkt hij zich. Met haar in contact treden zou betekenen: haar in gevaar brengen.

Hij weet dat de Lord hem tot in Afrika zal achtervolgen, tot aan het eind van de wereld, tot in de hel.

Hij weet dat de klopjacht nu pas begint.

Vaarwel, Salimata.

* * *

De Lord drinkt zijn koffie op het overdekte terras. Hij luistert, verrukt over de winter die zich een beetje streng aankondigt.

Binnenkort zal hij weer op jacht gaan.

Vandaag zal een hert zijn doelwit zijn. Een prachtig dier dat hij de vorige dag heeft ontdekt.

Met mensenjachten is het hier, in Frankrijk, afgelopen. Hij overweegt al te emigreren, zijn knowhow te exporteren.

Want in dit land is het te gevaarlijk geworden.

Hij heeft de hulp moeten inroepen van zijn machtigste vrienden om hem – met sluwheid – uit deze moeilijke situatie te redden. Delalande heeft hem een handje geholpen.

Met zijn tweeën hebben ze de invloedrijkste mannen van het land gemobiliseerd.

De getuigenis van een Malinese illegaal tegenover die van een schatrijke grondbezitter is niet veel waard. Ook al zouden de 'gewone' politiemannen graag hun neus in zijn zaken willen steken.

Maar nee, hij zal niet meer met vragen worden bestookt. Het is al een oud verhaal. De agenten zijn gemuilkorfd. Ze hebben hen ervan overtuigd dat het om een fabeltje gaat, een verzinsel. Dat ze te maken hebben met een boven elke verdenking verheven man. Een vriend van de machtigen van het land. Onberispelijk.

Onaantastbaar.

Hij moet alleen een manier zien te vinden om de man die het heeft gepresteerd aan hem te ontsnappen de mond te snoeren.

De man die hij bewondert...

Had hij maar zijn mond gehouden en zich ermee tevredengesteld te genieten van het geluk dat hij in leven was.

De Lord zal alle kosten betalen om zich van hem te ontdoen, het is slechts een kwestie van dagen of weken.

Er begint een nieuwe klopjacht...

* * *

Roland Margon zit op het terras van het café en leest de krant. Zijn tafeltje staat recht tegenover zijn apotheek.

Voor hem staat een glaasje witte wijn.

Er waait een frisse wind, afkomstig uit de Cevense bergen. De lucht is ongelooflijk helder en blauw.

Het regionale dagblad heeft weer eens een primeur met het nieuws dat de week rood heeft gekleurd. De tragische

dood van een fotografe die afgelopen maandag is teruggevonden langs een verlaten weg. Gewurgd. Zelfde modus
operandi als bij de moord op de kleine Julie, behalve dat
het slachtoffer een kogel in de arm heeft gekregen alvorens
te zijn vermoord. Dat helpt de politiemannen niet veel. Ze
blijven het bewuste wapen zoeken. Zonder te bevroeden
dat het op de bodem van een oude mijn ligt... Nog steeds
geen spoor dat naar de seriemoordenaar leidt. Sommige
kranten hebben het zelfs gewaagd te koppen: *Terugkeer
van het beest in Gévaudan!*

Roland glimlacht, terwijl hij Katia's snuit streelt. Wat
een eikels, die journalisten. Gévaudan is hier honderd kilometer vandaan... Maar het spreekt wel tot de verbeelding,
dat is zeker...

Margon zou het graag willen ontmoeten, het beest van
Gévaudan!

Dat hem twee keer en zonder het te weten uit de brand
heeft geholpen. Door hem van Julie te bevrijden en daarna
van Diane. Ja, hij zou graag met die mafkees kennis willen
maken om hem te bedanken.

Maar hij kent zijn identiteit niet en daarom dankt hij
simpelweg zijn gunstige gesternte.

Morgenochtend zal hij de apotheek sluiten en naar de
begrafenis gaan. Het minste wat hij kan doen.

Hij heeft een prachtig bloemstuk besteld voor op de kist.

De kist van Severin Granet.

Een dag na de ontdekking van Dianes lijk heeft hij zich
een kogel door het hoofd geschoten.

Niemand heeft zijn wanhopige gebaar begrepen. Hij
heeft geen verklaring, geen brief achtergelaten.

Margon begrijpt het ook niet echt. In het ergste geval

had hij zich kunnen voorstellen dat de angst voor de bajes Severin tot het uiterste heeft gedreven. Gedurende de achtenveertig uur dat ze niet wisten waar ze aan toe waren, en elk moment vreesden dat de politie op hun stoep zou komen te staan.

Achtenveertig uur van angst.

Achtenveertig uur van ondraaglijke twijfel. Zal ze al dan niet praten?

En ten slotte was er de opluchting, toen het nieuws zich als een lopend vuurtje van het ene dorp in de omgeving naar het andere verspreidde.

De fotografe is dood. Vermoord.

Een gevoel van bevrijding.

Ja, Roland had zich kunnen voorstellen dat Granet aan dat ondraaglijke wachten was bezweken. Maar de dag na de ontdekking van het lijk een kogel door je hoofd schieten...

Hij drinkt zijn glas leeg en zwaait naar de waard. Dan loopt hij langzaam terug naar zijn apotheek.

Hij heeft geen bloed aan zijn handen, en geen smet op zijn geweten. Hij is niet degene die haar heeft vermoord.

Een nieuwe werkdag begint, volkomen gelijk aan alle andere.

Een dag zonder trammelant.

Een moordenaar zonder wroeging lijkt sprekend op een onschuldige...